キューパブリック制作
主婦と生活社

難しくて解けない

はじめに

このたびは、シリーズ3冊目にあたる『超難問クロスワード艱難辛苦編』を手に取ってくださり、ありがとうございます。

第1弾「難攻不落編」、第2弾「悪戦苦闘編」に続く今回の「艱難辛苦編」も、日本経済新聞日曜版「NIKKEI The STYLE」で連載している「Challenge ! CROSSWORD」から、その名のとおり、苦しみもがくほど難しいクロスワードパズルを60問掲載しています。

ニューヨーク・タイムズやフィナンシャル・タイムズをはじめとする欧米の高級ニュースペーパーに、伝統的に掲載されているクロスワードパズル。その日本版とも言えるのが、この「Challenge! CROSSWORD」です。2017年の連載開始当時から、知識レベルが高い人の好奇心を満たす存在として人気になり、あの有吉弘行さんもご自身のラジオ番組で「めちゃめちゃ難しい。でも、逆に面白い」と語ったことで、さらに注目が高まりました。

「NIKKEI The STYLE」が目指した「ひと筋縄では解けないような難しいクロスワード」を実際に制作しているのは、クイズやパズル制作を専門に手がけるプロダクション「キューパブリック」。代表の西脇正純さんにお話を聴きに伺うと、そのオフィスには厚さ10cmを優に超える辞書や百科事典をはじめとする資料が、所狭しと並べられていました。しかも、そのすべてが味わい深さも感じられるほど、実に使い込んであったのです。

西脇さんは早稲田大学クイズ研究会出身で、1983年に創刊された伝説のパズル雑誌『パズラー』の編集や問題制作に携わって以来、数々のクイズを作り続けてきた、クイズ界を代表する制作者のひとり。40年間クイズを専門に作ってきた西脇さんでも、「ここまで難しいクロスワードを制作させてもらえるのはNIKKEI The STYLEだけ」と言います。

……その苦しみの先に喜びがある

西脇さんを突き動かしているのは、読者のみなさんと同じように、「知りたい」という欲求。常に本を読み、気になったことはさらに掘り下げるなど、知識のアップデートは欠かせません。そして、そうやって頭に知識を増やしていくこと自体が、快感でもあるのだそう。

西脇さんが調べて調べて調べ尽くして考えたクロスワードを解くのは、それこそひと筋縄ではいきません。問題を読んだだけですべてのマスを埋められる人は、なかなかいないはず。解くためには、こちらも全力で調べ尽くすしかありません。そう、これは知識人同士だからこそ成り立つ、真剣バトルと言ってもいいでしょう。

知識を増やすことが幸福感を高める!

脳の専門家・霜田里絵さんも、そんな「知りたい」という欲求に突き動かされている人のひとり。はじめは『超難問クロスワード』の難しさに驚いたものの、「クロスワードを解く過程で覚えた単語の中から、何か心を惹かれるようなものが見つかり、それに関連する本を一冊でも読むことができたら素敵だなと思います」と語っています。本書を手に取ってくださった読者のみなさまの中には、すでにそれを実践している人もいらっしゃるのではないでしょうか。

それは、西脇さんが語る「知識のための知識ではなく、教養のための教養ではなく、現代にもつながる言葉をクロスワードをとおして、繋いでいきたい」という考えにも通じます。

脳も筋肉と同じように使わなければ、徐々に衰えてしまうと言われています。クロスワードは、その衰えを防ぐための有効なトレーニング方法のひとつ。

イギリスで行われた「PROTECT研究」では、クロスワードや数学パズルを解く人は解かない人に比べて、短期記憶力が8歳若く、文法的推論能力が10歳若くなることが明らかになりました。また、「ブロンクス加齢研究」でも、認知症患者が日常的にクロスワードを行うことで、記憶の喪失が2.54年分も遅くなるという成果が報告されています。

これらの研究結果からもわかるように、脳は常に刺激し続けることが重要です。この本を手に取っているみなさんは、すでにその意義を理解していることでしょう。

知識の獲得と脳の活性化は、人生に喜びと充実感をもたらします。本書の難問にもがき苦しみながら、知識欲を満たすと同時に、思考力や記憶力が向上していく喜びを実感してください。

『超難問クロスワード』編集スタッフ一同

クロスワード仲間と交流し、競い合うと、もっと楽しくなる!

「なぜ、こんな難しいクロスワードに挑戦するの?」——読者のみなさまの中には、周囲からそんな質問をされた経験がある人もいるかもしれません。

人はご褒美をもらえると、喜びを感じる脳内物質「ドーパミン」が放出されることで「楽しい気持ち」になり、それがモチベーションへとつながります。「ご褒美」は、人によって異なります。例えばアイスやケーキなどのおやつを食べることをご褒美だと感じる人もいれば、高価な買い物をすることをご褒美だと感じる人もいるかもしれません。そういった価値観を持つ人から見ると、こんな難しいクロスワードに嬉々として挑戦している人のことは、ちょっと不思議に思えるのかもしれません。

でも、きっと本書を手に取ってくださる方々は、このような超難問のクロスワードを解くうちに新しい知識が身についたり、これまで蓄えてきた知識を使ってマスを埋めていけること自体がご褒美であり、喜びなはずです。

そんな喜びをもっと高められるいちばんおすすめの方法は、誰かに評価してもらうこと。まわりの友達と一緒にやってタイムを競い合ったり、クロスワードで得た知識を交換し合えたりすると、もっと楽しくなるでしょう。今の時代ならSNSで発信して、趣味の合う人を見つけるのもいいかもしれません。クロスワードをただ解けるようになる達成感だけでなく、充実感も味わうことができて、脳にもとてもいい刺激になると思います。

銀座内科・神経内科クリニック
霜田里絵 院長
SATOE SHIMODA

順天堂大学医学部卒業後、脳神経内科医局を経て都内の病院に勤務。2005年、銀座内科・神経内科クリニック開院。著書に『脳の専門医が教える40代から上り調子になる人の77の習慣』(文藝春秋)、『100歳まで絶対ボケない「不老脳」をつくる!』(マキノ出版)などがある。

超難問クロスワードの楽しみ方

①タテのカギとヨコのカギを見て、まずはすぐにわかるものから埋めていきましょう。
②どこかが埋まったら、クロスしている文字をヒントに答えを探し出してください。
③わからないときは、スマホやパソコン、辞書などを使って調べてもOKです。
④文字数の多い単語を調べると、それだけたくさんのヒントが生まれます。すべて調べて埋めてしまってもいいですが、カギをひとつ埋めるごとに、ほかにわかる部分はないか改めて考えてみましょう。
⑤すべて埋まったら、P.126以降の解答を見て答え合わせをしましょう。

さらにおすすめの使い方！

- 繰り返し解くことが、脳の活性化にもつながります。コピーをとるか、鉛筆や消せるペンなどを使って何度かチャレンジしてみましょう。
- すべての文字が埋まったら、右下の記入欄に解答日とかかった時間を書き入れましょう。解答にかかる時間が短くなったら、脳がレベルアップした証拠です。
- 解答ページを見るときは、カタカナだけでなく、一般的な表記も確認するのがおすすめ。できれば、実際に紙に書いてみましょう。記憶として脳に定着しやすくなります。

解答日　　月　　日

時　間　　　　分

クロスワードの基本的なやり方

- タテのカギとヨコのカギをヒントにして、カタカナで言葉を埋めていきます。
- 1マスにはカタカナ1文字が入ります。
- タテのカギは盤面にある数字の書かれたマスから下方向に、ヨコのカギは数字の書かれたマスから右方向に書き入れます。
- タテのカギとヨコのカギが交差する部分は、同じ文字が入ります。解答のヒントにしてください。
- 小さい「ャ」「ュ」「ョ」「ッ」などは、大きい「ヤ」「ユ」「ヨ」「ツ」などと同じ文字として扱います。
- 「ドーム」、「ビーナス」などの「ー」は、そのまま「ー」として書き入れます。「ドオム」「ビイナス」とはなりません。

「ばぶばぶ」など、赤ん坊の言葉にならない段階の声？

タテのカギ

1. 先祖に高名な国学者がいる、童謡『七つの子』『青い眼（め）の人形』『赤い靴』などで知られる作曲家
2. 2014年に死去した女優・山口淑子の満州映画協会時代の芸名
3. 大学など俗世間と離れた学術・芸術の世界を指す言葉、○○○の塔
4. 四代河原崎長十郎・三代中村翫（かん）右衛門（えもん）らが歌舞伎界の門閥制度刷新などを目指し、1931年に結成した劇団
5. 英国音楽復興者の一人、エルガーが作曲した行進曲
7. ラグビーの発祥とされる、ボールを抱えて走ったという少年の名前
12. 禅宗で、修学参禅の僧を集めて夏安居（げあんご）を行うこと。○○○会（え）
14. 1947年に家の制度とともに廃止された、○○○権
16. アメリカ、ベアード、ヤマ、マレーの四種がいるほ乳類

ヨコのカギ

1. コローに師事し、マネの作品のモデルになり、義妹にもなった19世紀フランスの女性画家、ベルト・○○○
4. 唐の天狗（てんぐ）の首領の名が題名となっている謡曲
6. 青城山とともに世界文化遺産となっている中国・四川省の水利施設
8. 仏・菩薩（ぼさつ）が衆生を救うため、いろいろなものに姿を変えて現れ、仏道に入らせて利益を与えることを表す言葉
9. ユーロ移行以前のイタリアの通貨単位
10. 約3.03センチを1とする単位
11. 「ばぶばぶ」など、赤ん坊のまだ言葉にならない段階の声
13. 2016年春より身体測定から除外された、座面から頭頂までの高さ
15. 世界三大銘茶の一つに数えられる、スリランカ産の紅茶
17. 官許を得ずひそかに得度した、○○僧
18. 安史の乱で楊貴妃とともに殺された、唐の玄宗帝に仕えた宰相

第1問 解答欄

1	2	3	■	4		5
6			7		■	
8						
9		■	10		■	
11		12	■	13	14	
	■	15	16	■	17	
18						

解答=126ページ

解答日　月　日　　解答日　月　日

時　間　分　　時　間　分

解答日　月　日　　解答日　月　日

時　間　分　　時　間　分

＊日本経済新聞[日曜版]NIKKEI The STYLE　2019年7月7日「Challenge! CROSSWORD」より

エベレストの南東に位置する世界第五位の高峰?

タテのカギ

1. 後漢の許慎(きょしん)による、中国最古の部首別字書
2. 第一次大戦後、ドイツの賠償支払いの不履行を口実に、フランスとベルギーが占領したドイツの鉱工業地帯
3. 中央アジアを流れる二つの大河、アムダリア川と○○ダリア川
4. 「釈迦に説法」と同様のことわざ「河童(かっぱ)に○○○○」
5. ベトナム戦争の報道で名をはせ、『ベスト＆ブライテスト』で名声を不動のものとしたジャーナリスト、ディヴィッド・○○○○○○○
9. その名の由来はハッシュドビーフの訛(なま)りとも、創始者の名字ともいわれる○○○ライス
10. シューベルトの歌曲『冬の旅』などで知られる詩人、ヴィルヘルム・○○○○
11. エベレストの南東に位置する、世界第五位の高峰
13. 14世紀末に明の洪武帝が民衆教化のために発布した教訓
16. 登山などで荷物を行程の途中に一時置いておくこと

ヨコのカギ

1. 温度の摂氏の由来となったスウェーデンの科学者
6. メジャーリーグで万能選手(野手)の代名詞、5○○○・プレーヤー
7. 石川県・能登地方特産の魚醤(ぎょしょう)
8. 物質量に関する基本単位
9. 気象用語では一般に雲量2割以上～8割以下の天気
10. 首都ネピドー、通貨単位チャットである東南アジアの国
12. 沖縄方言で「めでたい」「縁起が良い」の意
14. 酒を醸し、液汁を濾(こ)して残ったもの
15. ロシア語で魚卵の意
16. 量子力学を定式化するためにディラックが導入した、○○○関数
17. フランス革命の発端となった「球戯場(テニスコート)の誓い」の球戯の実際の名称。ラケットを用いないテニスのような室内遊戯

第2問 解答欄

1	2	3		4	■	5
6			■	7		
8		■	9		■	
	■	10			11	
12	13			■	14	
15			■	16		
17						

解答=126ページ

解答日　　月　　日　　　解答日　　月　　日

時　間　　　　分　　　時　間　　　　分

解答日　　月　　日　　　解答日　　月　　日

時　間　　　　分　　　時　間　　　　分

第3問 宮中や貴人に仕える女性に与えられる部屋のこと?

タテのカギ

1. 「実際には見ていないのに見てきたように言うこと」または「ぐっすり眠って何も気づかないこと」を意味する四字熟語
2. 歌舞伎芝居の始まりである、〇〇〇歌舞伎
3. 魚やエビからとった出汁(だし)に香辛料を効かせた、東南アジアの麺料理
4. 延暦寺・園城寺などで発展した密教
5. 名案だが実行がとても難しいことのたとえ「猫の首に〇〇を付ける」
9. ロシアの楽器とウォッカベースのカクテルに共通する名前
10. 有職故実(ゆうそくこじつ)書『公事根源』などで知られる室町中期の学者、一条〇〇〇
12. 文中の所々の文字を隠して当てさせる遊び、〇〇〇〇グラム
14. トルコ・イラン・イラクなどに分布する山岳民族、〇〇〇人
17. 印象派の指導的な画家として知られる、エドゥアール・〇〇

ヨコのカギ

1. 三遊亭円朝の人情噺(にんじょうばなし)のモデルとして知られる江戸時代の豪商
6. 牛・羊・馬などの乳から作った滋養飲料のこと
7. 『話の泉』『二十の扉』は日本の〇〇〇番組の元祖
8. 禁止技となることが多い柔道の捨て身技の一つ。自分の両足で相手を絡めるように強く挟んで倒す技
11. 宮中や貴人に仕える女性に与えられる部屋のこと
13. 古代インドの貴族が頭・首・胸にかけた装身具に由来する仏像の装飾
15. 「青丹よし」は〇〇にかかる枕詞
16. キリシタン用語でバテレンの次に位する宣教師のこと
18. 紀元前6世紀にユダヤを征服しバビロン捕囚を行った、新バビロニア王国最盛期の王、〇〇〇〇〇〇〇二世

第3問 解答欄

1	2		3	4	5	
6		■	7			■
8		9			■	10
	■		■	11	12	
13			14	■	15	
	■	16		17		■
18						

解答=126ページ

解答日　　月　　日　　解答日　　月　　日

時　間　　　　分　　時　間　　　　分

解答日　　月　　日　　解答日　　月　　日

時　間　　　　分　　時　間　　　　分

自然木の根を利用した仏像の台座の一種、○○○座？

タテのカギ

1. 日本では三十数年前のウイスキーのCMで話題になった、ヘンデル作曲の歌劇『セルセ』の冒頭のアリア。別名「ヘンデルのラルゴ」

2. 鎌倉時代に廃絶した、大嘗祭の翌年に行われた○○○○祭

3. 漢字では「海人草」。回虫駆除に用いられる紅藻類の海藻

4. 英語ではポテンシャル・エネルギーという、○○エネルギー

5. 朱子学において大成された、宇宙万物の存在に関する理論

8. 大みそかの夜に悪鬼を払い疫病を除く、宮中の年中行事

9. 1929年6月発表の、指導した米の法律家・実業家の名をとった第一次大戦後のドイツの賠償削減案。世界恐慌の影響で撤廃された

11. スベスベマンジュウというものは猛毒を持つ○○の仲間

14. 机下と同様の意味の、手紙文で宛名の脇付けに用いる語

15. 米アップル社製の端末機器向けのAIアシスタント

ヨコのカギ

1. 五代目古今亭志ん生や三代目古今亭志ん朝などが得意とした、相模国の神社に参詣した江戸っ子の長屋連中を描く古典落語

6. 自然木の根を利用した仏像の台座の一種、○○○座

7. 釈迦の遺骨のこと

10. 石狩炭田の開発などを行った、ナウマンと並ぶ日本地質学の創始者

11. 恩を仇(あだ)で返すと同様の意味。○○に居て枝を折る

12. 太平洋の島々に見られる、非人格的・超自然的な力の観念

13. 核酸を構成するプリン塩基の一つ。略記はG

15. 印刷における三原色の一つで、澄んだ青緑色

16. 『孫子』の句よりとった「疾如風、徐如林、侵掠如火、不動如山」の略記で、武田信玄が軍旗とした四字熟語

第4問 解答欄

1		2		3	4	5
	■		■	6		
7	8		9		■	
10				■	11	
12		■	13	14		
	■	15			■	
16						

解答=127ページ

解答日　　月　　日
時　間　　　　分

解答日　　月　　日
時　間　　　　分

解答日　　月　　日
時　間　　　　分

解答日　　月　　日
時　間　　　　分

＊日本経済新聞［日曜版］NIKKEI The STYLE 2019年7月28日「Challenge! CROSSWORD」より

世阿弥改作による能の演目で甲斐の石和川が舞台？

タテのカギ

1. 英語の8月の語源となった、初代ローマ皇帝の尊号
2. 戦前の軍部エリート養成機関、陸軍○○○学校と海軍兵学校
3. 平安時代に円仁が開創、伊達政宗により再興された宮城県にある寺
4. ことわざ「口に○○あり腹に剣あり」
5. 明治維新後に起こった不平士族の反乱の最初。指導者は江藤新平
6. クーベルタン男爵が創設、「キング・オブ・スポーツ」といわれたものの、不人気から開催期間の短縮を余儀なくされた五輪種目
10. 漢字で「磚子笛」「莎草」と書く。カヤツリグサ科の多年草
13. 『ガルガンチュワとパンタグリュエル』の物語で知られる作家
15. 1925年に一号機が市販された、35ミリカメラの祖
18. 米国政府または米国民のニックネーム、アンクル・○○

ヨコのカギ

1. 昭和期の作家・田宮虎彦の代表作の名でもある高知県の地名
7. 世阿弥改作による能の演目で、甲斐の石和川が舞台
8. 戦国時代～五代を編年体で編纂（へんさん）した中国の史書、『資治○○○』
9. 甲州流を先駆とし、北条流、山鹿流などがあった学問
11. しょうゆの産地として知られる千葉県北西部の市
12. バリ島の国際空港に名を遺す、インドネシア独立戦争の英雄
14. 朝鮮語で桔梗（ききょう）の花の意を持つ、朝鮮半島の代表的な民謡
16. 現在の大分県の大半に属する旧国名
17. いろは歌の後半の部分。無常の世のたとえ、○○の奥山
18. マリー・カマルゴと並び称される18世紀フランスの革新的バレエダンサー、マリー・○○
19. イタリア即興喜劇、コメディア・デラルテに出てくる道化役。17世紀の名喜劇俳優ティベリオ・フィオリリが完成させたといわれる

第5問 解答欄

1	2	3		4	5	6
7			■	8		
9			10	■	11	
	■	12		13		
14	15		■	16		
17		■	18		■	
19						

解答=127ページ

解答日　　月　　日

時　間　　　　分

解答日　　月　　日

時　間　　　　分

解答日　　月　　日

時　間　　　　分

解答日　　月　　日

時　間　　　　分

＊日本経済新聞［日曜版］NIKKEI The STYLE 2019年8月4日「Challenge! CROSSWORD」より

首および四肢を欠いた胴体だけの彫像？

タテのカギ

1. 新約聖書「ヨハネ伝」中のキリストの教えによる、他人の幸せのために自らを犠牲にする行為、また、その人のこと
2. かつては鉄鉱山で栄え、いまはユニークな現代建築の美術館で有名なスペイン北部の都市
3. 古く日本でキリスト教を指した言葉、〇〇教
4. 世界中で飲まれている炭酸飲料のルーツとされるアオギリ科の植物、〇〇〇ノキ
5. 安土桃山時代に毛利氏に仕えた外交僧、安国寺〇〇〇
9. 自然主義文学から戯曲・評論も手掛けた作家、正宗〇〇〇〇〇
10. 小鳥のような甲高い声を出す、北海道にすむウサギ
12. かつては太平洋横断航空路の中継地として知られた〇〇〇〇島
14. 太公望と呼ばれる人がたしなむ趣味
16. 雅楽・声明（しょうみょう）の七音音階、律旋法と〇〇旋法

ヨコのカギ

1. 1905年には焼き打ち事件が起こった、日本最初の洋式公園
6. 首および四肢を欠いた、胴体だけの彫像
7. 刀剣の柄（つか）と刀身との間に挟んで手を防護するもの
8. ハワイ・マウイ島の港町で、ハワイ王国時代の首都
11. 周王朝の祖、春秋時代の楚の王、戦国時代の秦の王に共通する名
13. 古代中国の『文選（もんぜん）』の詩の一編、「胡馬（こば）北風に依る」の対句、「〇〇〇〇〇南枝に巣くう」。故郷を恋い慕う心の切実なことのたとえ
15. 17世紀後半のスペイン黄金期のバロック美術を代表する画家
17. 取引所で、取引の対象となる株式や商品を指す用語
18. 漢方薬の五加皮の原料となる植物

第6問 解答欄

1	2	3	4		5	
6				■		■
7		■	8	9		10
11		12	■		■	
	■	13	14			
15	16				■	
17			■	18		

解答=127ページ

解答日　月　日　　解答日　月　日

時　間　分　　時　間　分

解答日　月　日　　解答日　月　日

時　間　分　　時　間　分

＊日本経済新聞［日曜版］NIKKEI The STYLE 2019年8月11日「Challenge! CROSSWORD」より

劉天華が発展させた中国の伝統的弦楽器?

タテのカギ

1. 中国・清朝帝室代々の姓。第12代の名は溥儀

2. 一時は景観破壊により世界文化遺産の危機遺産となったが、後に解除された、ドイツの○○○大聖堂

3. 1960年、日米安保条約と同時に発効した日米○○○○○○○

4. 九星の一つ、○○○土星。この星の生まれは運気が強いとされる

5. 主君や他人のために尽くすことを謙遜する表現、犬馬の○○

6. 苦境から抜け出す機会。身を捨ててこそ○○○○もあれ

10. 日本語の音で小さい「ゃ、ゅ、ょ」で表す音

12. ギリシャ神話で、女神アフロディテに愛された美少年

16. 一昼夜を12等分して子(ね)・丑(うし)・寅(とら)などの十二支に配し、さらに上・中・下に三分した昔の時間の単位

ヨコのカギ

1. 1924年の『D坂の殺人事件』で初登場した名探偵

7. 動物・精霊などと人間が結婚する説話類型の一つ、○○○婚姻譚

8. 太平洋戦争末期に日本海軍が開発した、特攻用の特殊滑空機

9. 満州国の首都。現在の中国・吉林省長春市にあたる

11. 『荘子』(人間世(じんかんせい))にある言葉「無○○の○○」

12. ことわざ「綸言(りんげん)○○の如し」

13. 道庁所在地が北朝鮮側は元山、韓国側は春川である朝鮮半島の道

14. スマイルズ著『自助論』中の格言「○○は自ら助くるものを助く」

15. 劉天華が発展させた、中国の伝統的弦楽器

17. 中華民国で満州事変の頃に結成された、蒋介石の独裁維持を目的とした国家主義的組織、○○○社

18. ピレネー山脈両麓、フランス・スペイン国境にまたがる○○○地方

第7問 解答欄

1	2	3		4	5	6
7			■	8		
9			10		■	
	■	11		■	12	
13						■
	■	14		■	15	16
17			■	18		

解答=127ページ

解答日　　月　　日
時　間　　　　分

解答日　　月　　日
時　間　　　　分

解答日　　月　　日
時　間　　　　分

解答日　　月　　日
時　間　　　　分

＊日本経済新聞[日曜版]NIKKEI The STYLE 2019年8月18日「Challenge! CROSSWORD」より

合掌造りの民家で知られる富山県南砺市の山村地区?

タテのカギ

1. 万物は無数の元素(種子)の混合により生じ、その混沌状態にヌース(精神)が秩序と運動をもたらすと説いた、古代ギリシャの哲学者
2. 米上院議員時代に当時の最高齢宇宙飛行を記録した、ジョン・〇〇〇
3. ゴルフのオープン大会で最上位のアマ選手のこと。〇〇・アマ
4. 中国北部から中央アジア、東欧の一部にかけて分布する〇〇〇〇諸語
5. シャルルマーニュが絶賛したという伝説がある白カビチーズ
8. 意図的に先人の歌を取り入れて作る歌作の技法、〇〇〇取り
10. 幕末、万延と元治の間の年号。生麦事件、薩英戦争はこの年間
12. ことわざ「月夜に〇〇を抜かれる」
14. 日本のオルガンおよびピアノ製造の創始者の一人、〇〇〇寅楠(とらくす)
16. 「空気投げ」で知られ、名人と呼ばれた柔道家、〇〇〇久蔵
17. 俗に「一六銀行」といえば〇〇店のこと

ヨコのカギ

1. かつてはタマツバキ、セイユウ、イナリトウザイなどの名競走馬がいた、現在は事実上消滅したアラブとサラブレッドの混血種
6. ＳＦではよく登場する、電磁砲などと訳される兵器、〇〇〇ガン
7. 極楽浄土に往生する者の生前の功徳の違いによる、九つの階位
9. 元来のポリネシア語が欧米に移植され「禁忌」の意味を持った語
11. アラモ砦(とりで)などで知られる米テキサス州の都市、〇〇・アントニオ
12. 有島武郎の小説『〇〇〇の末裔(まつえい)』
13. 合掌造りの民家で知られる富山県南砺市の山村地区
15. 与謝野晶子の代表的な詩の一つ、『〇〇死にたまふことなかれ』
17. 1948年に結成された消費者団体、〇〇〇連合会
18. 「命のビザ」で知られ、「東洋のシンドラー」と呼ばれた外交官

第8問 解答欄

1		2	3	4		5
	■	6			■	
7	8		■	9	10	
11		■	12			■
13		14		■	15	16
	■		■	17		
18						

解答=128ページ

解答日　　月　　日

時　間　　　　分

解答日　　月　　日

時　間　　　　分

解答日　　月　　日

時　間　　　　分

解答日　　月　　日

時　間　　　　分

第9問 金魚すくいで金魚をすくう紙を張った枠?

タテのカギ

1. 唐の詩人・李賀(りが)の故事にちなむ、文人が死後に行くという楼閣

2. 室町末期～江戸期に輸入された、羊毛で地の厚く密な毛織物

3. シルクロードを通して東洋にも伝えられたイランの〇〇〇朝美術

4. フランス・パリの近郊が起源とされる、〇〇の市

5. いわゆる椎という植物はツブラジイとこの種をいう

6. 演劇で、見た目本位の俗受けを狙った演出・演技のこと

10. 1967年に初の心臓移植手術を成功させた南アフリカの心臓外科医

12. 北極星。米海軍の核弾頭付き潜水艦発射弾道ミサイルの名にも

14. 三国の魏の重臣で、西晋の礎を築いた人物。字(あざな)は仲達(ちゅうたつ)

15. 旧約聖書に出てくるペリシテ人の都市で、巨人ゴリアテの故郷

16. 石窟寺院でも知られる、古代オアシス都市国家亀茲(きじ)国の地

18. モームが画家ゴーギャンをモデルにした小説『〇〇と六ペンス』

ヨコのカギ

1. 槍(やり)の名手で知られた新選組十番隊組長。「れいわ新選組」の山本太郎代表が大河ドラマ『新選組!』で演じた

7. 仏教の十悪を三種に分けた言葉「身三〇〇意三」

8. 松尾芭蕉の句「〇〇〇〇をあつめて早し最上川」

9. 往年のフランス映画を代表する名優、ジャン・〇〇〇〇

11. 弁証法において正と反を総合した段階、〇〇テーゼ

12. 金魚すくいで金魚をすくう紙を張った枠

13. 釈尊が入滅した娑羅林(しゃらりん)があったという古代インドの都市

17. 「ハリウッド・テン」として米映画界を追放されたダルトン・トランボが『黒い牡牛(おうし)』で1957年のアカデミー原案賞を受賞した際の筆名

19. 経済協力に関する一指標「開発における女性」の英語の略語

20. 茶道における茶室のこと

第9問 解答欄

1	2		3	4	5	6
7		■	8			
9		10		■	11	
	■		■	12		■
13	14		15		■	16
17					18	
19			■	20		

解答=128ページ

解答日　月　日
時　間　分

解答日　月　日
時　間　分

解答日　月　日
時　間　分

解答日　月　日
時　間　分

＊日本経済新聞[日曜版]NIKKEI The STYLE 2019年9月1日「Challenge! CROSSWORD」より

第10問 『モンパルナスのキキ』で知られるフランスの画家?

タテのカギ

1. 1974年の日本公開時は「映画に愛をこめて」と副題がついた、フランソワ・トリュフォー監督の名作映画。アカデミー外国語映画賞受賞

2. 14世紀フランスの音楽様式、〇〇〇・ノヴァ

3. 在原業平が主人公のモデルとされる、『〇〇物語』

4. 文明開化期のはやり歌の一節「ちょんまげ頭を叩いてみれば、〇〇〇〇〇姑息の音がする」

5. 「茅渟」と書く、和泉国にあたる地域の古称

6. ことわざ「水は方円の〇〇〇に随う」

9. 代表作は『泉』。現代美術に大きな影響を与えたフランスの芸術家

10. 戦中の唱歌『お山の杉の子』の一番の歌詞に出てくる〇〇〇〇林

12. ことわざ「商いは〇〇の涎」

14. 代表的な手紙の結語の一つ。「つつしんで申す」の意

16. モアイ像で知られるイースター島はこの国の領土

ヨコのカギ

1. 泡坂妻夫の推理小説に出てくる特異な姓名の主人公

7. 2の累乗よりも1小さい自然数および同じ形で表される素数に名を残す、フランスの神学者で哲学者・数学者

8. 日本にはニホン、シマ、エゾと外来種のタイワンがいる小動物

9. 月山・羽黒山・湯殿山は〇〇三山

10. 芥川龍之介の有名な箴言集・随筆、『〇〇〇〇の言葉』

11. 『小倉百人一首』第69番の歌でも知られる平安中期の歌人・僧侶

13. 「時化」とあてる、凪の反対の現象

15. 日本史で南北朝時代の南朝の異称、〇〇〇朝

16. インドや中央アジア・中東で飲むお茶

17. 『モンパルナスのキキ』で知られるフランスの画家

第10問 解答欄

1	2	3	4	5		6
7					■	
8		■		■	9	
	■	10				■
11	12			■	13	14
15			■	16		
	■	17				

解答=128ページ

解答日　月　日

時　間　分

解答日　月　日

時　間　分

解答日　月　日

時　間　分

解答日　月　日

時　間　分

狂言で主役のシテに対して脇役のこと?

タテのカギ

1. 『西鶴一代女』『雨月物語』などで知られる映画監督
2. 『人間喜劇』など、庶民生活の明るい描写で知られる米国の作家
3. シューベルトの有名なピアノ五重奏曲。魚の名前が題名
4. 豊臣秀吉が五奉行の上に置いた政権の最高機関
5. 『レッドクリフ』などで知られる中国出身の映画監督、ジョン・○○
7. 狂言で主役のシテに対して、脇役のこと
9. 「人に迷惑をかけて死ぬべし」など逆説、機知、笑いに富んだ三島由紀夫の評論・随筆、『○○○○○教育講座』
11. 現在の皇室典範で、天皇から見て嫡男系嫡出で3親等以遠の皇族女子に与えられる称号
13. 抑制性神経伝達物質として働くガンマ・アミノ酪酸の略称
15. 自分のことを指す謙譲語の一つ

ヨコのカギ

1. 英語ではMassと表記するカトリックの儀式
3. 信濃追分の宿駅で歌った○○○○がもととなった、追分節
6. 拝火教ともいわれる古代ペルシャに起こった○○○○○○教
8. ホモロサイン図法ともいわれる地図投影法の一つ、○○○図法
10. 岡倉天心が1906年に英文で書いた評論『○○の本』
11. フランス革命のさなかの立法議会で内閣を組織し、国民公会では山岳派と対立して追放された穏健共和派、○○○○派
12. 『六段の調』などで知られる近世箏(そう)曲の創始者、八橋○○○○○
14. 大阪の地名(地蔵尊の名前)がついた、閻魔(えんま)大王が出てくる狂言
15. 広島県呉市にある本州側・警固屋と倉橋島の間にある海峡、音戸の○○
16. 児童文学『鏡の国のアリス』の物語内の不可解な詩のなかで語られている架空の生物。英語では「ちんぷんかんぷん」の意にも

第11問 解答欄

1	2	■	3	4	5	
6		7				■
8			■		■	9
10		■	11			
12		13			■	
	■	14		■	15	
16						

解答=129ページ

解答日　月　日
時　間　分

解答日　月　日
時　間　分

解答日　月　日
時　間　分

解答日　月　日
時　間　分

第12問 故事成語「漁夫の利」でハマグリと争った鳥？

タテのカギ

1. ローマ・カトリック教会に反抗して現れたキリスト教諸派の総称
2. 煮物にカツオのうま味をたっぷり効かせた料理
3. 形状から「海のパイナップル」とも呼ばれる珍味
4. 砧(きぬた)の音や霧の風情、歌枕としても知られる奈良市北西部の地名
6. 満州に駐屯した日本陸軍の部隊。1945年8月ソ連参戦により壊滅
8. 伊賀越の仇討(鍵屋の辻の決闘)で知られる剣豪、〇〇〇又右衛門
10. 広島県産の渋柿の品種。また干し柿の形をした白色の求肥饅頭(ぎゅうひまんじゅう)
13. イングリッド・バーグマンが主演した1944年の映画、『〇〇燈(とう)』
15. 三島由紀夫による戯曲化でも知られる江戸川乱歩の小説『黒〇〇〇』
17. 音楽・舞踊などにみられる形式上の3区分、〇〇破急

ヨコのカギ

1. オプション取引で、コールに対する語
3. 明治憲法制定の前に、自由民権運動弾圧のため制定された〇〇〇条令
5. 江戸時代に成人男性のしるしとなった髪形。月代と書く
7. リラックス効果があるとされる、茶に特有のうま味の主要成分
9. 故事成語「漁夫の利」でハマグリと争った鳥
11. 平民派のマリウスとの抗争で知られる、古代ローマの閥族派の軍人
12. 『鳥獣戯画』の高山寺や紅葉の名所で知られる京都市右京区の地名
14. 『ゲルマニア』『年代記』を著した古代ローマの歴史家・政治家
16. 『論語』の言葉「上知と〇〇とは移らず」
17. 仮名、アルファベット、梵字(ぼんじ)などの表音文字の一つ一つの字のこと
18. 陶淵明の伝奇小説に由来する、俗世間を離れた別天地

Challenge!
CROSSWORD

第12問 解答欄

1		2	■	3	4	
	■	5	6			■
7	8			■	9	10
11		■	12	13		
14		15			■	
	■	16		■	17	
18						

解答=129ページ

解答日　　月　　日　　解答日　　月　　日

時　間　　　　分　　時　間　　　　分

解答日　　月　　日　　解答日　　月　　日

時　間　　　　分　　時　間　　　　分

＊日本経済新聞[日曜版]NIKKEI The STYLE 2019年9月22日「Challenge! CROSSWORD」より

南フランスのニームにある古代ローマの神殿?

タテのカギ

1. 新約聖書『ヨハネの黙示録』に表れる、死を象徴する馬
2. 人を操る手段・技巧。手管と同様の意味
3. 名刀「大般若長光」で知られる長光は、備前○○○○の刀工
4. 日本も舞台となったクエンティン・タランティーノ監督の映画『○○・ビル』
5. 江戸中期の僧・禅海により開削されたと伝えられる、名勝・耶馬渓にあるトンネル。菊池寛の小説『恩讐の彼方に』でも知られる
8. 南フランスのニームにある、古代ローマの神殿
9. 1993年夏~94年春放送、奥州藤原氏を描いた大河ドラマ『○○○立つ』
12. 高天原にあったという、天(の)○○○○
14. セント・アンドリュース・オールド・コースの17番ホールの通称「○○○ズ・バンカー」は1978年全英オープンの中嶋常幸選手の悲劇にちなむ
17. 焼き物、煮物と並ぶ日本料理の基本、○○物

ヨコのカギ

1. キリスト教の異邦人伝道の基地として知られる、トルコ南部の都市
6. 三味線で棹(さお)が胴に接する手前の部分(鳩胸)の背面部の称
7. エスペラントを創案したポーランドの眼科医・言語学者
10. 女声声域でソプラノとアルトの間、○○ソプラノ
11. 「刀背角」と書く、刀身の背梁(せきりょう)の称
13. 中世インドに成立した後期密教聖典の称。また、密教経典の総称
15. 一言も反論ができない様子。○○の音も出ない
16. 日本古代の間諜(かんちょう)。窺見、斥候とも書く
17. 坂本龍馬が好んだとされ、暗殺の直前にも頼んだとされる○○○鍋
18. 素粒子「クォーク」の命名者で、2019年5月に逝去した米の物理学者

第13問 解答欄

1		2		3	4	5
	■		■	6		
7	8		9		■	
10		■	11		12	
13		14		■	15	
16			■	17		
18						

解答=129ページ

解答日　月　日

時　間　分

解答日　月　日

時　間　分

解答日　月　日

時　間　分

解答日　月　日

時　間　分

＊日本経済新聞[日曜版]NIKKEI The STYLE 2019年9月29日「Challenge! CROSSWORD」より

夫より妻のほうが体が大きい〇〇の夫婦？

タテのカギ

1. 「聖母被昇天」などで知られる、ルネサンス・ベネチア派の画家
2. 中国の科挙で郷試と殿試の間の試験。宋代では省試にあたる
3. 薊（けい）といった現在の北京に都を置いた、戦国七雄の一つ
4. 巨大ハリケーン「ドリアン」の直撃を受けたバハマの首都
6. 第一次世界大戦終戦直後、1920年にオリンピックが開催された都市
8. イダ・アカハラ・アカウオ・ハヤなどとも呼ばれるコイ科の魚
9. 見るものを石に化したという、ギリシャ神話のゴルゴン三姉妹の一人
13. 清見潟や清見寺で知られる、東海道五十三次の宿駅
15. 夫より妻のほうが体が大きい、〇〇の夫婦
16. 明智光秀を生んだ明智氏は、美濃・〇〇氏の支族

ヨコのカギ

1. 「小倉百人一首」の撰者（せんじゃ）とされる、鎌倉前期の歌人、藤原〇〇〇
3. イタリア・シチリア島東部にある活火山
5. 007シリーズを生み出した英国の作家、〇〇〇・フレミング
7. 1946年に創業されたソニーの前身、東京〇〇〇〇工業
9. 中央アメリカで、高度な農耕民文化に基づくアステカ・マヤなどの古代文明が築かれた領域を指す、〇〇アメリカ
10. 2019年には5歳児の唾液分泌量に関する研究で小児歯科医が受賞、2022年まで日本人が16年連続で受賞している〇〇・ノーベル賞
11. 父は第20・22代、息子は第29代首相のカナダの政治家
12. 米大統領予備選を最初に行う州としても知られる、米中部の州
14. 音楽で、ある調の中心となる音
17. 離島を除き日本の本土最東端である、北海道・根室半島にある岬

第14問 解答欄

1		2	■	3		4
	■	5	6		■	
7	8			■	9	
10		■	11			
12		13		■		■
	■	14		15		16
17						

解答=130ページ

解答日　　月　　日
時　間　　　　分

解答日　　月　　日
時　間　　　　分

解答日　　月　　日
時　間　　　　分

解答日　　月　　日
時　間　　　　分

＊日本経済新聞[日曜版]NIKKEI The STYLE 2019年10月6日「Challenge! CROSSWORD」より

立山、焼岳、御嶽山などを含む○○○○火山帯？

タテのカギ

1. 中国・三国時代の蜀の諸葛亮が、劉備の子で後継君主の劉禅が魏との戦いで出陣するときに奉った上奏文

2. 1874年に板垣退助らにより結成された日本最初の政党の起源となった、○○○○公党

3. 『革命児サパタ』『炎の人ゴッホ』で二度アカデミー助演男優賞を受賞したメキシコ出身の俳優アンソニー・○○○

4. 乾燥帯の地域にみられる、降雨時や雨期にのみ水の流れる谷

6. 古代ギリシャの哲学者、エピクロスが追求した心の平静の状態

8. 10世紀に契丹族が中国東北部に建てた遼の太祖、○○○阿保機

9. ヘレニズム文化の中心地の一つで、小アジア西部にあった古都

11. 東南東と南東の間、または午前7時から9時の間にあたる干支

14. 古代西アジアで成立、ヘブライ文字などのもととなった○○○文字

15. 1929年発表、西條八十作詞、中山晋平作曲の唱歌『○○と殿様』

ヨコのカギ

1. 紀元前3世紀初め頃、キプロス島出身のゼノンを開祖とし、ローマ皇帝マルクス・アウレリウスも属したヘレニズム哲学の一学派、○○○派

3. 映画『戦場にかける橋』のテーマ曲『○○○河マーチ』

5. 白居易の詩でも知られる、中国江西省の廬山香炉峰の北にある寺

7. 北海道・石狩湾の西側、日本海に突き出た○○○○○半島

10. 立山、焼岳、御嶽山などを含む○○○○火山帯

11. 老子の言葉「○○を知る者は富む」

12. 登記簿上の土地の区画を数えるのに用いる助数詞

13. 1883年に完全に絶滅したとされるシマウマの一種。名は鳴き声に由来

15. 古典などに見られる、猿の異称

16. 米ペンシルベニア州の名前の由来にもなった、英国のクエーカー教徒

第15問 解答欄

1		2	■	3	4	
	■	5	6			■
7	8				■	9
10				■	11	
12		■	13	14		
	■	15			■	
16						

解答=130ページ

解答日　月　日　　解答日　月　日

時　間　　分　　時　間　　分

解答日　月　日　　解答日　月　日

時　間　　分　　時　間　　分

福音書・黙示録で知られるキリスト十二使徒の一人?

タテのカギ

1. 五・一五事件後の斎藤実内閣などが典型とされる〇〇〇〇〇〇〇内閣
2. 『禿(はげ)の女歌手』などの不条理演劇で知られるフランスの劇作家
3. 代表作に『夜と霧』などがあるフランスの映画監督、アラン・〇〇
4. 1980年に発表した小説『薔薇の名前』はベストセラーになった、イタリアの記号論学者ウンベルト・〇〇〇
6. 映画『フロントランナー』に描かれた、1988年の大統領選で最有力候補と目されながらスキャンダルで失墜したゲイリー・〇〇〇上院議員
8. 『オルナンの埋葬』などで知られる、フランス写実主義の代表的画家
10. 中年の詩人ハンバート・ハンバートを主人公とするナボコフの小説
12. 「鏨」と書く、金工用の鋼製ののみ
14. アイルランド、スコットランド、ウェールズなどに住む〇〇〇民族
16. 江戸時代、諸藩が領地内だけに通用させた藩〇〇

ヨコのカギ

1. 横光利一が新心理主義の手法を確立したとされる、1930年発表の短編小説
3. 円筒形に模した人物画でも知られる、フランスのキュビスムの画家
5. 福音書・黙示録で知られる、キリスト十二使徒の一人
7. 現代ギリシャ語の元となった、ヘレニズム時代の標準ギリシャ語
8. 乾燥した根の皮を地骨皮(じこっぴ)という、ナス科の落葉小低木
9. 交通網の発達により小都市の人や物資が大都市に吸い寄せられる、〇〇〇〇現象
11. 青森県・恐山が有名な、口寄せをする巫女(みこ)
13. 『形象詩集』『時禱(じとう)詩集』などで知られるプラハ生まれの詩人
15. 「栂」と書くマツ科の常緑高木
16. 更新世に栄えたスミロドンは、〇〇〇〇・タイガーとも呼ばれる
17. ローマ南郊の大映画撮影所。イタリア語で「映画都市」の意

第16問 解答欄

1		2	■	3		4
	■	5	6		■	
7				■	8	
	■	9		10		■
11	12		■	13		14
15		■	16			
17					■	

解答=130ページ

解答日　　月　　日　　解答日　　月　　日

時　間　　　　分　　時　間　　　　分

解答日　　月　　日　　解答日　　月　　日

時　間　　　　分　　時　間　　　　分

第17問 時機に遅れて役に立たないもののたとえ、十日の○○?

タテのカギ

1. 1748年に刊行されたモンテスキューの主著。三権分立を唱えた
2. 米国でロックフェラーといえば石油王、ハーストといえば○○○○王
3. 時機に遅れて役に立たないもののたとえ、十日の○○
4. 橘右近が創始した橘流により、1960年代に復興したとされる、客の入りを願ってすき間なく太く書かれた独特の文字
5. 紀元前3500年ごろ、メソポタミア南部に最古の都市文明を築いた人々
9. 幕末期に井伊家の藩窯となった、滋賀県彦根に産出した陶磁器
11. 中国の伝説の君主・舜(しゅん)帝が耕作したという地。山西省南部、翼城県南東の山や、山東省済南の南方にある千仏山が該当するとされる
12. 氷ノ山(ひょうのせん)や明延(あけのべ)鉱山がある、但馬地方の中心に位置する市
16. 大日本体育協会第二代会長で、東京・渋谷にあった体育会館にその名を残していた、○○清一

ヨコのカギ

1. ゴッホ最晩年の代表作で、ニューヨーク近代美術館の永久コレクション
6. 梵語(ぼんご)で字音の初めが「阿」なら終わりはこれ
7. モンテーニュの著書『エセー』中に見える、彼の懐疑主義を表すフランス語で、「私は何を知っているか」の意
8. 宮本百合子の自伝的小説で、プロレタリア文学の先駆的長編
10. 競馬の菊花賞のモデルである、英国で開催される世界最古のクラシック競走、○○○・○○○○・ステークス
13. 熱帯地域で、乾期に対する時期
14. 株などの取引で、強気筋のこと
15. 寒立馬(かんだちめ)の放牧でも知られる、青森県・下北半島の北東端にある岬
17. 1936年に全13巻が成った、英国の人類学者、ジェームズ・フレーザーの主著。未開的・古代的宗教の信仰や習俗を比較研究した

第17問 解答欄

1	2		3	4	■	5
6		■	7			
8		9	■		■	
10			11		12	
	■	13		■	14	
15				16	■	
	■	17				

解答=130ページ

解答日　　月　　日　　解答日　　月　　日

時　間　　　分　　時　間　　　分

解答日　　月　　日　　解答日　　月　　日

時　間　　　分　　時　間　　　分

＊日本経済新聞[日曜版]NIKKEI The STYLE 2019年10月27日「Challenge! CROSSWORD」より

第18問 沖縄県西表島と並ぶ日本の山猫の生息地？

タテのカギ

1. 1800年に電池を発明した、イタリアの物理学者
2. 肥前の陶工の名に由来する大きめの飯茶碗、○○○○茶碗
3. 新選組の前身・壬生浪士組で芹沢鴨（かも）とともに局長をつとめたとされる新見○○○。その生涯には不明な点が多い
4. 古生代の重要な示準化石である、海生節足動物の一群
6. タオルの生産地として知られる愛媛県の市
8. 中国の景徳鎮付近の高嶺という地名に由来する粘土の名
9. 英国のロジェが刊行した辞典の名に由来する、単語を意味により分類・配列した辞書の一種。「宝庫」の意味を持つ
12. 旧約聖書『創世記』に記されたアダムとイブの子で、カインの弟
14. 沖縄県西表島と並ぶ、日本の山猫の生息地
16. 過度に倹約すること。○○に火をともす

ヨコのカギ

1. アフリカ中部に生息するウシ科の動物で、世界四大珍獣の一つ
3. 松田道雄の育児書が原作。1962年の市川崑（こん）監督の映画『私は○○○』
5. ほぼすべてのタンパク質に含まれる、必須アミノ酸の一種
7. 1954年に文化勲章を受章した俳人で、俳誌『ホトトギス』の主宰者
10. 1989年の流行語で、定年退職後の夫を指した表現「濡れ○○○族」
11. 漢字で「鶯」と書く、スズメよりやや大きい鳥
12. 大きな災いにつながる些細（ささい）なミスのこと。○○の一穴
13. ディープ・パープルの元メンバーで脱退後はレインボーを率いたロック・ミュージシャン、○○○○・ブラックモア
15. 世界初の実用的自動車を設計・制作したドイツの技術者
17. 人形浄瑠璃や歌舞伎などで激しい戦闘の場面、○○○場
18. 著しく巨大な口が特徴の、個体発見例が非常に少ない珍しいサメ

第18問 解答欄

1		2	■	3	4	
	■	5	6			■
7	8					9
■	10			■	11	
12		■	13	14		
15		16	■	17		
	■	18				

解答=131ページ

解答日　月　日　　解答日　月　日
時　間　　分　　時　間　　分

解答日　月　日　　解答日　月　日
時　間　　分　　時　間　　分

希少部位として知られる牛の尻骨の部分の肉?

タテのカギ

1. 1670年に刊行されたパスカルの遺稿集
2. 中世にハンザ同盟の商館が置かれたことでも知られるロシアの古都
3. 八卦(はっけ)で三爻(さんこう)すべてが陽の卦である乾(けん)に対し、すべてが陰の卦
4. フォッサマグナの西縁をなす、○○○川静岡構造線
5. 古名を秋津という昆虫
8. モンゴル帝国の創始者、チンギス・ハン(テムジン)の父の名
10. 現代の地質年代である完新世の別名、○○○○○世
12. ベトナムの民族衣装。とくに女性の正装として有名
13. 梵語(ぼんご)で金剛の意の言葉に由来する、室町時代の流行語。南北朝時代の武将、佐々木道誉(どうよ)(高氏(たかうじ))は○○○大名として知られる
14. 仏教で「煩悩を離れること」を表す言葉
15. エペルネと並び、世界的に有名なシャンパン醸造の中心地

ヨコのカギ

1. オードリー・ヘプバーンがフレッド・アステアと共演、初めてミュージカルに挑戦した1957年の映画
6. 1958年に結成された新左翼党派、共産主義者同盟を指すドイツ語
7. 出世魚スズキの幼魚のときの名
9. 希少部位として知られる、牛の尻骨の部分の肉
11. 第二次大戦後に支出された占領地域経済復興資金、通称○○○資金
13. 帯ドラマの基礎となったとされる、1958年放送開始のＮＨＫの番組
16. 落語などのオチのこと
17. ドイツの歴史的地域名で、現在はドレスデンを州都とする州名
18. 16世紀ロシアの君主で初代ツァーリ、イワン四世の異称
19. アルゼンチンの作家マヌエル・プイグの小説で戯曲化、映画化、ミュージカル化された『蜘蛛(くも)女の○○』

第19問 解答欄

1		2	3	4		5
	■	6			■	
7	8		■	9	10	
■	11		12	■		■
13				14		15
16		■	17			
18				■	19	

解答=131ページ

解答日　　月　　日
時　間　　　　分

解答日　　月　　日
時　間　　　　分

解答日　　月　　日
時　間　　　　分

解答日　　月　　日
時　間　　　　分

釣りはこれに始まりこれに終わるといわれる魚？

タテのカギ

1. 「もみじ」といえば一般的にはこの植物のこと

2. 仏教の世界観で金輪上にある世界。須弥山（しゅみせん）を中心とする

3. きわめてわずかな事柄。〇〇〇一毫（ごう）

4. 律宗・法相宗・真言宗などで、受戒の師。また高僧の尊称

7. 武田信玄が徳川家康・織田信長の連合軍を破った〇〇〇ヶ原の戦い

8. 1921年、イタリア共産党の創立に参加した思想家で政治家

9. ロバの異称

12. 『オズの魔法使い』で主人公ドロシーとともに冒険するのはブリキのきこり、臆病なライオンと？

13. 俵屋宗達を祖とする江戸時代の絵画の一流派

15. 釣りはこれに始まりこれに終わるといわれる魚

ヨコのカギ

1. ごまめはこの幼魚を干したもの。アンチョビーはこの魚の仲間

5. 山内一豊とその妻・千代を描いたＮＨＫ大河ドラマ『功名が〇〇』

6. 米国の統計学者の名を冠した品質管理の向上、経営の効率化に貢献した民間の団体または個人に与えられる経営学の賞

10. 米ハワイ・ワイキキの東に位置する高級住宅地、〇〇〇地区

11. 大分県にある全国八幡宮の総本宮・〇〇神宮

12. フランス料理の食材としてはエスカルゴと呼ばれる生物

14. 二十四節気中の小寒から穀雨に至る八節気を24に分け、各候に咲く花を知らせる風、二十四番〇〇〇〇〇

16. 東洋画の画題で、菊・蓮・梅・蘭の総称

17. 1914年に米国によって竣工された〇〇〇運河

第20問 解答欄

1		2		3	4	
	■		■	5		■
6	7		8			9
■	10			■	11	
12				13	■	
	■	14			15	
16			■	17		

解答=131ページ

解答日　月　日
時　間　分

解答日　月　日
時　間　分

解答日　月　日
時　間　分

解答日　月　日
時　間　分

小型で強健なことで知られる本州の在来種の馬、○○馬？

タテのカギ

1. 決闘で没したプーシキンの死を悼んで書いた詩『詩人の死』や小説『現代の英雄』などで知られる帝政ロシアの詩人・作家
2. 酸素の発見で知られる英国の化学者にして神学者・哲学者
3. ペルシャ文学の最高傑作とされる民族・英雄叙事詩『シャー・ナーメ（王書）』を書いたイラン最大の詩人の一人
4. 金銀泥で彩色すること。その手法で描いた絵が○○絵
5. 利子や配当など投資の果実による収益を指す和製英語
7. ○○物とは愛知県○○市に由来する陶磁器
9. ボクシングで無効試合のこと、○○・コンテスト
14. 著書『ガラス製造法』で知られる17世紀イタリアのガラス工芸家
16. 小型で強健なことで知られる本州の在来種の馬、○○馬

ヨコのカギ

1. 代理人・代行者の意の英略語。メディア・○○○、セールス・○○○
3. 関ヶ原の戦い以前から徳川の家臣であった大名、○○○大名
6. 太宗と称され、唐朝支配の基礎を固めた唐の第二代皇帝
8. ベルサイユ宮殿の造園を指導した、フランスの庭園設計家
10. 大森貝塚の発見で知られる、米国の動物学者
11. エルサレム旧市街にあるイスラム様式の神殿、岩の○○○
12. 中国の伝説で最初に酒を造ったとされる人物。杜氏（とうじ）の語源の一つ
13. 大化前代の天皇や皇族の近習、また律令制の下級官人など
15. 不義理などをした家に行きにくいこと。○○○が高い
17. モーツァルトの歌劇『魔笛』などでも知られる、18世紀初頭の英国から広まったとされ、世界中に組織を持つ博愛主義団体

Challenge!
CROSSWORD

第21問 解答欄

1		2	■	3	4	5
	■	6	7			
8	9				■	
10			■	11		
	■	12			■	
13	14		■	15	16	
17						

解答=132ページ

解答日　　月　　日　　　解答日　　月　　日

時　間　　　　分　　　　時　間　　　　分

解答日　　月　　日　　　解答日　　月　　日

時　間　　　　分　　　　時　間　　　　分

＊日本経済新聞[日曜版]NIKKEI The STYLE　2019年11月24日「Challenge! CROSSWORD」より

第22問 セントポールを州都とする米国中北部の州?

タテのカギ

1. 杉田玄白著『蘭学事始』で、『ターヘル・アナトミア』を『解体新書』に翻訳する際の苦心談として知られる、鼻の様態に関し「うず高い」と訳されたオランダ語。原典にはなかったとする説もある
2. シリコンともいわれる元素
3. 『泉』などで知られる、フランス新古典派を代表する画家
4. 若い競走馬に多く見られる管骨骨膜炎を指す競馬業界用語
5. 1848年フランスの二月革命が欧州諸国に波及した○○○○革命
9. 米国のＳＦ・恐怖小説の作家、ハワード・フィリップス・ラヴクラフトの作品を体系化した「○○○○○神話」
10. ランボーと並ぶ19世紀フランス象徴派の代表的詩人
11. セントポールを州都とする米国中北部の州
14. ネギ・ニラ・ショウガなど臭気の強い、または辛い野菜のこと

ヨコのカギ

1. 虚無僧とは○○宗の僧のこと
3. 世界最大級のカルデラをなす、九州中部の活火山
6. 分類学上は霊長目ヒト上科のうち、ヒトを除いたものとほぼ同じ
7. 兵庫県西脇市、長野県飯田市、群馬県渋川市などが候補、日本の○○
8. ことわざ「少年老い易く、○○成り難し」
10. 両側に取っ手の付いた蓋付きの大きな料理用鍋
12. 晴れ渡った空を表す語。○○○の天
13. 古代エジプトの都テーベがあった、ナイル川沿いの都市
15. ドイツのカッセルでほぼ5年ごとに開催される国際的な現代美術展。ナチスの影響下で衰退した自国美術の復興を目的に1955年に始まり、一人のディレクターがテーマと全参加者の選定を行う

第22問 解答欄

<table>
<tr><td>1</td><td>2</td><td>■</td><td>3</td><td>4</td><td>5</td><td></td></tr>
<tr><td>6</td><td></td><td></td><td></td><td></td><td></td><td>■</td></tr>
<tr><td>7</td><td></td><td>■</td><td></td><td>■</td><td>8</td><td>9</td></tr>
<tr><td></td><td>■</td><td>10</td><td></td><td>11</td><td></td><td></td></tr>
<tr><td>12</td><td></td><td></td><td>■</td><td></td><td>■</td><td></td></tr>
<tr><td></td><td>■</td><td>13</td><td>14</td><td></td><td></td><td></td></tr>
<tr><td>15</td><td></td><td></td><td></td><td></td><td>■</td><td></td></tr>
</table>

解答=132ページ

解答日　　月　　日　　解答日　　月　　日

時　間　　　　分　　時　間　　　　分

解答日　　月　　日　　解答日　　月　　日

時　間　　　　分　　時　間　　　　分

＊日本経済新聞[日曜版]NIKKEI The STYLE　2019年12月1日「Challenge! CROSSWORD」より

伝説上のローマの建国者である双子の兄?

タテのカギ

1. 真珠湾奇襲攻撃の際の機動部隊指揮官で海軍中将、○○○忠一

2. 研ぎ澄ました刀をひと振りするときに閃(ひらめ)く鋭い光を表す四字熟語

3. 江戸時代に箱根の関と並ぶ要衝となった、中山道の○○○の関

4. 英国でポンドの補助単位、ペニーの複数形

6. 伝説上のローマの建国者である双子の兄

8. 古代メソポタミアや古代カナンで信奉された大地と結びつきの深い豊穣(ほうじょう)神。旧約聖書ではペリシテ人の神として悪神とされた

9. シベリア東岸と樺太(サハリン)に挟まれた○○○○海峡

11. 道中無事であるように旅立つ人を見送る四字熟語、○○○平安

12. シードルやカルヴァドスの原料

13. ニューヨーク・ブロードウェーで上演された演劇作品に与えられる、1947年に創設された○○○賞

ヨコのカギ

1. 1927年8月1日に中国共産党の紅軍誕生の契機となる武装蜂起があった都市。現在の江西省の省都

5. インド六派哲学の一派、サーンキヤ学派の別名、○○○学派

7. 資本主義社会や機械文明がテーマの、チャップリンの代表作の一つ

10. 石川県能登地方発祥の将棋の駒に似たコマと盤を用いたゲーム

11. 1929年設立、旧ソ連時代は国営だったロシアの旅行会社

14. 欧州諸国の共同出資による原子核・素粒子物理学の研究機関の略称

15. 米国のフランクリン・ルーズベルト大統領が国民に対しラジオを通して直接語り掛けた政見放送、○○○談話

16. 不条理演劇の代名詞とされるベケットの戯曲『○○○を待ちながら』

第23問 解答欄

1		2		3	■	4
	■		■	5	6	
7	8		9			
■	10			■		■
11				12		13
	■	14			■	
15			■	16		

解答=132ページ

解答日　月　日　　解答日　月　日

時　間　　分　　時　間　　分

解答日　月　日　　解答日　月　日

時　間　　分　　時　間　　分

七・七・七・五の四句からなる流行俗謡?

タテのカギ

1. 1819年の開館時は王立美術館と称した、スペインの〇〇〇美術館
2. 『長くつ下のピッピ』で知られるスウェーデンの児童文学作家
3. 米国の作家、アーヴィングが書いた『リップ・ヴァン・ウィンクル』、『スリーピー・ホロウの伝説』を含む短編集
4. シートンの『動物記』中の有名な一編『狼王〇〇』
5. 体操競技で十字懸垂、水平支持などの技がある種目
9. 散文に対し、詩歌は〇〇文
11. フランス革命に先立って『第三身分とは何か』を著した政治家
13. 法律用語で効力規定に対し、これに反してもその行為の法的効力に影響がないとされる〇〇〇規定
14. 個別の経済活動を集計した一国経済全体を扱う〇〇〇経済学
17. 分割払いで、利用件数・金額にかかわらず毎月一定額を返済する〇〇払い

ヨコのカギ

1. 1620年、メイフラワー号の北米大陸上陸時にピルグリム・ファーザーズが第一歩をしるしたといわれる、マサチューセッツ州にある岩
6. 西洋種にはデンドロビウムやシンビジウムなどがある花
7. 古墳時代の出土品にも遺されている、最も基本的な彫金法
8. 七・七・七・五の四句からなる流行俗謡
10. コウゾやミツマタなどを主原料とする紙
12. 1904年に完成した、現在の熊本県八代市の北西部にある干拓地
14. インド洋に浮かぶ島国、モルディブの首都
15. 元寇（げんこう）とは〇〇〇〇・弘安の役のこと
16. 米国の「狂騒の20年代」に第30代大統領を務めた政治家
18. インドネシア中部、バリ島の東隣に位置する〇〇〇〇島
19. 昭和新山は太平洋戦争中に〇〇山東麓に生じた火山

第24問 解答欄

1	2		3	4	5	
6		■	7			■
8		9		■	10	11
■	12			13	■	
14		■	15			
16		17			■	
18				■	19	

解答=133ページ

解答日　　月　　日

時　間　　　　分

解答日　　月　　日

時　間　　　　分

解答日　　月　　日

時　間　　　　分

解答日　　月　　日

時　間　　　　分

＊日本経済新聞[日曜版]NIKKEI The STYLE 2019年12月15日「Challenge! CROSSWORD」より

ノーベル賞のうち、平和賞の授賞式のみが行われる都市？

タテのカギ

1. 神が高天原から地上へ降りるときに、天地の間にかかるという橋
2. 哲学で「まさにあるべきこと、まさになすべきこと」すなわち当為を意味するドイツ語。対義語はザイン（存在）
3. 弓手の反対で、右手のこと
4. シェイクスピアの生まれた地、ストラトフォード・アポン・〇〇〇〇
5. 独特の即興演奏で知られるジャズ界の巨人、セロニアス・〇〇〇
8. 米国西部開拓時代の伝説的なアウトロー、〇〇〇・ザ・キッド
10. イスラム世界において、異教徒に課せられた人頭税
12. 漢字で「玉筋魚」と書く魚
14. ノーベル賞のうち、平和賞の授賞式のみが行われる都市
15. ギリシャ語アルファベットの第19字
16. 『源氏物語』の登場人物で光源氏の親友、〇〇（の）中将

ヨコのカギ

1. 百人一首・59番の歌で知られる、平安中期の女性歌人
6. 植物の緑葉中にカロテンとともに多量に存在し、またカナリアの羽の色素としても知られるカロテノイドの一種
7. 1926年に自ら設計した飛行船で北極横断飛行に成功したイタリアの軍人・探検家。後にアムンゼンはこの人物を捜索中に遭難した
9. 殷墟（いんきょ）から出土した亀甲や獣骨に刻んだ文字。甲骨文字ともいう
11. 菩提講と桜・紅葉の名所で知られた、京都・大徳寺の南にあった寺
13. 野球で二塁のこと。〇〇ストーン
14. ことわざ「〇〇の意見と冷や酒は後で効く」
15. ギリシャ神話で死を擬人化した神
17. 19世紀後半にドイツの数学者、カントルが創始した数学の一分野

第25問 解答欄

1		2	3	4	5	
	■	6				■
7	8		■	9		10
11			12		■	
13		■		■	14	
	■	15		16		■
17						

解答=133ページ

解答日　月　日

時　間　分

解答日　月　日

時　間　分

解答日　月　日

時　間　分

解答日　月　日

時　間　分

＊日本経済新聞［日曜版］NIKKEI The STYLE　2019年12月22日「Challenge! CROSSWORD」より

第26問 女性が着る、ロシアの代表的な民族衣装?

タテのカギ

1. 無意味に見える左右対称のインクの染みを使った性格診断法を編み出した、スイスの精神科医

2. 宋の杜黙の詩が多く規則はずれだったことに由来するという熟語

3. 肩掛けやカーテンなどに用いるきめ細かい織物、絹モスリンのこと

4. シェークスピアの代表作の主人公、古代ブリテンの○○王

5. 幕末の儒学者、藤田東湖の死因となった、江戸に起きた大災害

8. ロック音楽の父、ロック音楽の神とたたえられる、チャック・○○○

10. 豊臣秀吉の軍師として知られる、竹中○○○○

11. 藤原定家の『明月記』の記述でも知られる、牡牛座の○○星雲

13. 芋焼酎の原料として知られるサツマイモの品種、○○○千貫

16. 九州と対馬の中間に位置する島

ヨコのカギ

1. 17世紀後半、ロンドンに開かれたコーヒー店を起源とする、英国の個人保険業者の集団で、国際的な保険市場

3. ダマスカスを首都とする西アジアの国

6. 女性が着る、ロシアの代表的な民族衣装

7. 旧約聖書に出てくるヤコブの長子。ヤコブとレアとの息子

9. 事態が切迫すること、○○に火が付く

10. 鴻門(こうもん)の会において劉邦を救った功などで知られる、漢の武将

12. アンデス産のキク科の植物。塊根にフラクトオリゴ糖を含む

14. 現代文学の巨匠、トマス・ピンチョンの代表作『重力の○○』

15. 計画などが失敗し、無駄骨に終わること。○○○に帰す

17. 「日本マラソンの父」金栗四三の発案により、1920年2月14日に第一回が開催された長距離競走の通称

第26問 解答欄

1		2	■	3	4	5
	■	6				
7	8		■		■	
9		■	10		11	
12		13		■	14	
	■	15		16	■	
17						

解答=133ページ

解答日　月　日

時　間　分

解答日　月　日

時　間　分

解答日　月　日

時　間　分

解答日　月　日

時　間　分

＊日本経済新聞［日曜版］NIKKEI The STYLE 2020年1月5日「Challenge! CROSSWORD」より

第27問 地域によりシャカ、ベント、ホタとも呼ばれる魚？

タテのカギ

1. 菅原孝標女（すがわらのたかすえのむすめ）による、平安中期の日記文学
2. 自然主義作家・徳田秋声が1911年に発表した私小説
3. 『太陽のない街』で知られるプロレタリア作家、○○○○直（すなお）
4. ことわざ「頭隠して○○隠さず」
5. 邪馬台国の女王
6. 『生命の起源』で知られる生化学者・オパーリンが生命発生の一段階と考えた、コロイドからなる液胞の流動層と液層が入り交じった物体
9. 日本の私小説と異なり一人称小説と訳される、ドイツの○○○・ロマン
12. 射放つと大音響を発することから戦闘開始の合図に用いられた矢
13. 冬の季語でもある防寒用の衣服
16. 法律用語としては法定と天然がある
18. 核戦争後の寒冷化現象を表す言葉、核の○○

ヨコのカギ

1. 1903年に幸徳秋水と平民社を設立。日本社会主義同盟、日本共産党の設立に関わった後、労農派に転じた社会主義政治家・思想家・作家
7. ユダヤ教の教師の敬称。ヘブライ語で「我が師」の意
8. ロシアと英仏などの連合軍との間で1853～56年に起きた○○○○戦争
9. ボラの幼魚
10. 平安前期の宮廷絵師・金岡を祖とする絵師の家系、○○派
11. もと長野県木曽郡だった島崎藤村の生地で小説『夜明け前』の舞台、馬籠が現在属する岐阜県の市
14. 古くはギリヤークと称した、ロシア極東部の少数民族の呼び名の一つ
15. 地域によりシャカ、ベント、ホタとも呼ばれる魚
17. 相撲用語で連勝と連敗を繰り返すこと。○○相撲
18. 2020年に英国からの独立50周年を迎えた南太平洋の共和国
19. 『ロミオとジュリエット』で、ジュリエットはこの家の娘

第27問 解答欄

1	2		3	4	5	6
7		■	8			
	■	9		■	10	
11	12			13	■	
14			■	15	16	
17		■	18			
19						

解答=134ページ

解答日　　月　　日　　　解答日　　月　　日

時　間　　　　分　　　時　間　　　　分

解答日　　月　　日　　　解答日　　月　　日

時　間　　　　分　　　時　間　　　　分

色違いの丸い駒を用いる西洋碁ともいわれるゲーム？

タテのカギ

1. 東北、北陸、中部や山陰地方などに伝わる民話でも知られる、旧暦11月23～24日の大師講に降るという〇〇〇〇〇〇の雪
2. アフリカ、ギニア共和国の西にあるギニア〇〇〇共和国
3. 仏教で六欲天の第二。須弥山の頂上にあるという帝釈天のいる天界
4. 英労働党の理論的指導者でもあった政治学者、ハロルド・〇〇〇
5. 七草がゆを食べる1月7日は〇〇〇〇〇の節句
8. ベートーベンの『ピアノソナタ第23番へ短調　作品57』の通称
9. 色違いの丸い駒を用いる、西洋碁ともいわれるゲーム
13. 中国南北朝時代に徐陵と並び称された、宮体詩の代表的詩人
14. 建築作品「森博士の家」や著書『家相の科学』をはじめ、コーヒーのCM出演などでも知られる戦後日本を代表する建築家、〇〇〇清
17. 寄る辺のないことのたとえ、〇〇にも付かず磯にも離る

ヨコのカギ

1. 金融用語で裁定取引、さや取り売買ともいわれる英語
6. 米国の独立13州で最初に独立を宣言し、また南北戦争では最初に合衆国政府に反旗を翻して開戦地ともなった〇〇〇・カロライナ州
7. 源義経が奥州藤原氏のもとへ下るのを助けたといわれる伝説的人物
10. ことわざ「瓜田(かでん)に〇〇を納(い)れず、李下(りか)に冠を正さず」
11. 中国の春秋時代に呉と攻防を繰り広げた国
12. キリスト教で復活祭の前、日曜を除く40日間の斎戒期
15. 葦(あし)が「悪し」に通ずるのを忌むことから言い換えた語
16. 国際民間航空機関の略称の日本での読みの一つ
18. バター・砂糖・卵・小麦粉を等量ずつ混ぜたことから命名された菓子

第28問 解答欄

1		2	3	4		5
	■	6			■	
7	8				9	
10		■		■	11	
12		13		14		■
■	15		■	16		17
18						

解答=134ページ

解答日　　月　　日

時　間　　　　分

解答日　　月　　日

時　間　　　　分

解答日　　月　　日

時　間　　　　分

解答日　　月　　日

時　間　　　　分

第29問 童謡『ぞうさん』で知られる詩人、まど・〇〇〇?

タテのカギ

1. 他人事、とくに他人の恋を妬むことを表す四字熟語
2. 応神天皇の時に『論語』と『千字文』をもたらしたとされる渡来人
3. 戯曲で台詞以外の登場人物の動きや場面の状況などを記した部分
4. タンパク質と結合して酸素の運搬や貯蔵に関与する、鉄とポルフィリンの錯化合物
5. 夏目漱石の『坊っちゃん』にも描かれている、日本三古湯の一つ
8. インドネシアの音楽、とくにガムランに使われる五音の音階
9. 伊勢神宮の内宮(ないくう)と外宮(げくう)のこと。〇〇〇の宮
11. 茶道・俳諧などでいう閑寂な風趣。〇〇とさび
12. 昔、内親王の降嫁に際して、輿(こし)入(い)れの前に夫になる人が内親王の御所に一宿したこと
14. オスカー・ワイルドの唯一の長編小説『ドリアン・〇〇〇の肖像』

ヨコのカギ

1. ラッセルとの共著『数学原理』で記号論理学を確立し、後には有機体の概念を中核とする形而上学を展開した英国の哲学者・数学者
6. 咀嚼(そしゃく)器官を「アリストテレスの提灯(ちょうちん)」という生物
7. メジャーリーグ、シカゴ・カブスの本拠地、リグレー・フィールドのリグレーはこの菓子のメーカーとして知られる
8. 大嘗祭で西方に設けられる祭場
9. 明治元年に出羽を分割してできた、後に大半が秋田県となった旧国名
10. 大和王朝の政治の中心地とされた、奈良・香具山東麓一帯の古地名
12. 童謡『ぞうさん』などで知られる詩人、まど・〇〇〇
13. 19世紀最大のアフリカ探検で知られる、スコットランドの探検家・宣教師
15. 13世紀にアイバクが建てたインド最初のイスラム王朝、〇〇〇王朝
16. ジョン・フォード監督「騎兵隊三部作」の第二作にあたる1949年の映画

第29問 解答欄

1	2		3	4		5
6		■	7		■	
	■	8		■	9	
10	11		■	12		
13			14			
	■	15			■	
16						

解答=134ページ

解答日　　月　　日　　解答日　　月　　日

時　間　　　分　　時　間　　　分

解答日　　月　　日　　解答日　　月　　日

時　間　　　分　　時　間　　　分

*日本経済新聞[日曜版]NIKKEI The STYLE 2020年1月26日「Challenge! CROSSWORD」より

今日のハンガリー人の自称、○○○○○人？

タテのカギ

1. 『萬葉大和路』など奈良・大和の風物や仏閣で知られる写真家
2. 伊勢神宮の警衛や監督をつかさどった江戸幕府の職名、○○○奉行
3. 第二次世界大戦従軍の傍ら書いた戦争詩『Vレター、その他』でピュリッツァー賞を受けた米国の詩人・批評家、○○○○
4. 2019年の開高健ノンフィクション賞受賞作、『聖なる○○』
5. サンクトペテルブルクにあるロシア最大の美術館
7. 『論語』の一節「知者は水を楽しみ、○○○○は山を楽しむ」
9. 鳥類の卵の黄身の両端についているひも状のもの
12. 東洋画で、梅・菊・蘭・竹の総称
14. 中世のフランク王にして西ローマ皇帝、○○○大帝
16. 謡曲『高砂』のテーマとなっている植物

ヨコのカギ

1. 1965年に二人の日本の天文家がほぼ同時に発見した○○○・関彗星
3. 上枝を「ほつえ」と読むのに対し、下枝の読み
6. 今日のハンガリー人の自称、○○○○○人
8. 禅宗の祖・達磨に教えを請うた僧が、自ら左臂を切断して求道の心を示したという故事に由来する、画題にもなっている語
10. 米マサチューセッツ州東端、コッド岬のコッドとはこの魚のこと
11. 大分・別府湾に面する日出町特産のマコガレイ、○○○○かれい
13. エミール・ゾラが1877年に刊行した、自然主義小説の代表作
15. 米の白人至上主義秘密結社、○○・クラックス・クラン
16. 谷崎潤一郎が女性の同性愛を描いた、1931年刊行の小説
17. バレエ『コッペリア』の第一幕などで知られるハンガリーの民俗舞曲

第30問 解答欄

1		2	■	3	4	5
	■	6	7			
8	9				■	
10		■	11		12	
13		14		■	15	
	■		■	16		
17						

解答=134ページ

解答日　　月　　日　　解答日　　月　　日

時　間　　　分　　時　間　　　分

解答日　　月　　日　　解答日　　月　　日

時　間　　　分　　時　間　　　分

＊日本経済新聞[日曜版]NIKKEI The STYLE　2020年2月2日「Challenge! CROSSWORD」より

第31問 コーヒーの品種に名をのこすイエメンの都市？

タテのカギ

1. ハワイ王国最後の女王・リリウオカラニ作のハワイ民謡
2. 現存する世界最古の都市の一つでもある、シリアの首都
3. 内のり4寸9分、深さ2寸7分1厘(水升は2寸7分)の容器
4. コーヒーの品種に名をのこすイエメンの都市
7. 『大脱出』などの著書で知られ、「消費、貧困、福祉」に関する分析に対し2015年のノーベル経済学賞を受賞した学者
8. 儒教における五経の一つ
10. ティピーというテントで移動したことで知られ、米国カンザス州の都市名にもなっている米国の先住民、○○○○族
13. 主に中国・四国・九州で南風のこと

ヨコのカギ

1. 陶磁器の香炉や茶入れなどに多い、○○○形(なり)
3. ともに歌枕となっている、和歌山・紀ノ川や奈良・吉野川を隔てて相対する二つの山の総称、○○○山
5. マレー半島とスマトラ島の間にある交通の要衝、○○○○海峡
6. ギリシャ神話で冥界の王。クロノスの子でゼウスの兄
9. 通った後に良い香りが漂うように、衣服に香をたきしめておくこと
11. ゴルフでホール・イン・ワンの別名
12. ハワイ語の「素早い」に由来する、インターネット上で複数の人間が簡単にウェブページの作成・編集などが行えるシステムの呼び名
13. 出世魚ブリの関西での呼称で、ツバスとメジロの間
14. 英国の高級日刊紙「ガーディアン」が1821年に創刊された都市

第31問 解答欄

1		2	■	3	4	
	■	5				■
6	7		■		■	8
9					10	
11			■	12		
■		■	13			■
14						

解答=135ページ

解答日　月　日　　解答日　月　日

時　間　分　　時　間　分

解答日　月　日　　解答日　月　日

時　間　分　　時　間　分

第32問 仏、高僧の座る座のこと。獅子座ともいう?

タテのカギ

1. ニーチェ哲学の根本概念。人の行動原理となるもの
2. 東京都中央区の南東部、現在は石川島・月島に接続した○○○島
3. 旧・西ドイツの首都。ベートーベンの生家があることでも知られる
4. 太陽の大気で彩層とコロナの間の領域、また地球内部のマントルで地震波速度や密度が急激に変わる領域の名称
6. オリオン座のβ星
8. ラグビーで試合前に気勢を上げるパフォーマンス、ウォー○○○
10. 古くからインド洋交易の重要拠点であったアフリカ東部の島
12. かつて英国の空軍基地だったバンダラナイケ国際空港が付近にある、スリランカ最大の都市コロンボの北方にある都市
14. ギリシャ神話の巨神族にちなんで命名された、堅い金属元素
17. 見通しや方針が全く立たない状態、○○霧中

ヨコのカギ

1. 幕末の長岡藩家老・河井継之助がのこした西方遊学の際の旅日記
4. フィリピン中部のリゾート・アイランド、○○島
5. 1714年に即位したジョージ1世以降の時代の、英国王の政治的立場を象徴するとされる言葉「国王は○○○○すれども統治せず」
7. 新約聖書に見えるイエスの言葉「金持ちが天国に行くのは、○○○が針の穴を通るより難しい」
9. 仏、高僧の座る座のこと。獅子座ともいう
11. ギリシャ神話で最高の女神。ゼウスの妻
12. トラファルガーの海戦でナポレオンを破ったが戦死した英国の提督
13. 1957年に製作されたスウェーデンの映画監督、ベルイマンの代表作
15. 藤原頼通が1052年に建てた平等院がある京都の地
16. アルゼンチンとコンチネンタルの二種類があるダンス音楽
18. ラテンアメリカ独立運動の指導者で「解放者」と呼ばれる人物

第32問 解答欄

1		2	3	■	4	
	■	5		6		■
7	8		■	9		10
11		■	12			
13		14		■	15	
	■	16		17	■	
18						

解答=135ページ

解答日　月　日　　解答日　月　日
時　間　　分　　時　間　　分

解答日　月　日　　解答日　月　日
時　間　　分　　時　間　　分

ベルギー産トラピストビールの代表的ブランド?

タテのカギ

1. ギリシャ神話の女神で、大地の女神ガイアと天空神ウラノスの娘
2. 『平家物語』に描かれ謡曲にもなった、高倉天皇に寵愛(ちょうあい)された後宮
3. 『荘子』の一節「○○は江湖に相忘る」
4. 現・広島東洋カープの秋山翔吾選手が所属していたメジャーリーグの球団、レッズの本拠地
5. 熱海にある像でも知られる、『金色夜叉』の主人公二人の名前
8. 天智·天武両天皇の母である7世紀の女帝、○○○○○天皇。孝徳天皇に譲位後、斉明天皇として再び即位した
10. 天文学者の顔も持つクイーンのギタリスト、ブライアン・○○
11. 子羊のことを英語ではラム、フランス語ではこう呼ぶ
12. オーデル川とともにドイツとポーランドの国境をなす、○○○川
15. 園城寺(三井寺)を「寺」と呼ぶのに対し、延暦寺のこと

ヨコのカギ

1. 生物の形態の変化が一定の方向に向かっているように見える現象
6. 封建社会における主君と臣下の関係を表す言葉。○○○と奉公
7. 藤原基経と宇多天皇の間に起きた政治的抗争、○○○の紛議
9. ベルギー産トラピストビールの代表的ブランド
11. 江戸後期の国学者によって漢字渡来以前の日本固有の神代文字と考えられていた文字の一種。「天名地鎮」とも書く
12. グレゴリー・ペック主演、第三次世界大戦を描いた1959年の映画
13. 白色で質が軟らかく、古来、刀の研磨に用いられた砥石、○○砥
14. 本来は月がまだ出ない陰暦16~20日頃までの日暮れの時刻をさす語
16. 南極、北極の極地領有の根拠として提唱された○○○○主義
17. 釈迦牟尼(むに)の母、○○夫人(ぶにん)

第33問 解答欄

1		2	3	4		5
	■	6			■	
7	8		■	9	10	
■		■	11			
12					■	
13		■	14		15	
16				■	17	

解答=135ページ

解答日　　月　　日

時　間　　　　分

解答日　　月　　日

時　間　　　　分

解答日　　月　　日

時　間　　　　分

解答日　　月　　日

時　間　　　　分

第34問 花札の赤短札のうち、三月の短冊に書かれている言葉?

タテのカギ

1. 新約聖書で刑に処せられる前のイエスに対し、ローマのサマリア総督・ピラトが言った言葉「エッケ・ホモ」の日本語訳の一つ

2. はかない抵抗のたとえ、〇〇〇〇の斧(おの)

3. 中国地方にあった旧国名と、高知県のある市に共通する名

4. ダダイスムの創始者として知られる詩人、トリスタン・〇〇〇

5. 高エネルギーの素粒子や原子核を作り出す装置

9. 仏教でいう三世のうちの一つ。とくに現世をさす

10. 戦前の青年必読の教養書とされた阿部次郎の『〇〇〇〇〇の日記』

12. 花札の赤短札のうち、三月の短冊に書かれている言葉

15. 明治政府が推進した基本政策の一つ、〇〇〇強兵

17. 機会を狙って様子をうかがうさま、〇〇眈々(たんたん)

19. 新年の季語、〇〇今年

ヨコのカギ

1. 古事記で天地開闢(かいびゃく)の初めに出現したとされる神

6. 言語学者ソシュールの用語、シニフィアンの日本語訳の一つ

7. 熊本県北東部、世界最大級のカルデラを持つ〇〇山

8. ハワイ島東海岸にある良港で、同島最大の町

9. 茎や葉の細かいトゲに蟻酸(ぎさん)を含み、触れると痛みが残る多年草

11. 台密に対し、本山とする寺の名を冠した真言密教の称

13. ことわざ「沈黙は〇〇」

14. イエスの母マリアの夫

16. ゲンノショウコの異称、〇〇〇草

18. 「先生と私」「両親と私」「先生と遺書」からなる夏目漱石の代表作

20. 民本主義を唱え、大正デモクラシーの中心となった思想家

第34問 解答欄

1	2	3		4	5	
6			■	7		■
8		■	9			10
11		12		■	13	
	■	14		15	■	
16	17		■	18	19	
20						

解答=136ページ

解答日　月　日　　解答日　月　日
時　間　分　　時　間　分

解答日　月　日　　解答日　月　日
時　間　分　　時　間　分

第35問 出雲地方の民謡『○○の五本松』?

タテのカギ

1. 『梁塵秘抄』の有名な一節「○○○をせんとや生まれけむ」
2. 英語でgoodwill。M＆A（合併・買収）の際、相手企業の純資産額を上回って支払った代金のこと
3. インドネシア共和国の大部分を占める、大・小に分かれた列島
4. 赤玉チーズともいわれる、オランダ原産の硬質のチーズ
5. 徳川幕府の御三家で最も西にある国
6. 別府地獄めぐりでも知られる、赤く染まった○○○○地獄
9. 『内的体験』『エロティシズム』などで近代社会を批判したフランスの思想家・社会学者・作家のジョルジュ・○○○○
10. 唐の功臣・魏徴に由来する格言「創業は易く○○○○は難し」
11. イスラム教シーア派の正しい指導者家系である、第四代正統カリフ
12. シューベルトに代表される、ドイツ語による叙情詩の歌曲
15. 日本の国鳥

ヨコのカギ

1. 『種蒔く人』『文芸戦線』の同人としてプロレタリア文学初期の指導的理論家として活躍した文芸評論家
7. 東の鳥辺野、西の化野と共に知られた京都の北にある葬送の地
8. フランスのタイヤ会社・ミシュランのマスコット。ミシュランマンとも
10. 不景気の意味でも使われる、凪の反対語
11. 2020年のグラミー賞でクリストファー・クロス以来39年ぶり二人目となる主要四部門独占の快挙に輝いたビリー・○○○○○○
13. 中東から中世に欧州に伝わり、16～17世紀にかけて流行した撥弦楽器
14. 出雲地方の民謡、『○○の五本松』
16. 盧舎那仏で知られる、華厳宗の大本山

第35問 解答欄

1		2	3	4	5	6
	■	7				
8	9				■	
■		■		■	10	
11		12				■
13				■	14	15
	■	16				

解答=136ページ

解答日　月　日	解答日　月　日
時　間　分	時　間　分
解答日　月　日	解答日　月　日
時　間　分	時　間　分

モルモン教徒入植の地として知られる、米国西部の州？

タテのカギ

1. 姫路城を現存する大規模な城郭に改築した、初代姫路藩主
2. 和歌や文句を書くとき、水墨画的手法を用いて繊細優美な仮名の特色を効果的に表現した日本独自の書法、〇〇〇書き
3. 英国南部、ソールズベリ平原にある巨石記念物
4. 名はラテン語の「地球」にちなむ、酸素族元素の一種。元素記号Te
5. 花の最も外側にあって、花びらを支えている部分
8. 出羽三山は月山・湯殿山と〇〇〇山
9. モルモン教徒入植の地として知られる、米国西部の州
12. トマトなどの赤色色素で優れた抗酸化作用があるカロテノイドの一種
14. 1853年に米国の提督ペリーが通商を求めて来航した地
17. 自分のことをへりくだっていう語の一つ

ヨコのカギ

1. 古生代デボン紀後期に生息した、最も初期の両生類の一つ
6. ねじりモーメントともいう、物体を回転させる能力の大きさ
7. 屈折ピラミッドと赤いピラミッドで知られる、古代エジプトの遺跡
10. プロ野球・サムスン・ライオンズの本拠地でもある韓国の都市
11. 牛肉の舌の部分
13. ドイツ・ロマン派の代表的作曲家、シューマンの歌曲『〇〇〇の民』
15. 魚介類を塩漬けにした後ぬか漬けにした、おもに福井県の郷土料理
16. 生物学者ワトソン、クリックらが提唱したDNAの二重〇〇〇構造
18. 1931年に急進派の秘密結社「桜会」が、右翼の大物・大川周明や陸軍首脳部らとともに企て、未遂に終わったクーデター計画

第36問 解答欄

1		2		3	4	5
	■		■	6		
7	8		9			■
10		■	11		■	12
13		14	■	15		
	■	16	17		■	
18						

解答=136ページ

解答日　　月　　日　　解答日　　月　　日
時　間　　　分　　時　間　　　分

解答日　　月　　日　　解答日　　月　　日
時　間　　　分　　時　間　　　分

＊日本経済新聞[日曜版]NIKKEI The STYLE 2020年3月15日「Challenge! CROSSWORD」より

下手な囲碁のたとえに使われる用具?

タテのカギ

1. 鎌倉中期に開設された書庫で足利学校と並ぶ中世教育史の重要施設の現在の読み
2. 聖徳太子ゆかりの地の名にもある、三光鳥などの別称がある鳥
3. 12～14世紀にアイスランドで成立した、中世北欧の散文物語の総称
4. ダリの絵画『記憶の固執』の別称、『柔らかい〇〇〇』
5. 古代ギリシャの文献学者・修辞学者。『原理について』などの著書よりもむしろ、作者と誤って伝わる『崇高について』で有名
6. 代表作は『阿Q正伝』『狂人日記』。現代中国文学の父とされる作家
8. 黒い羽に白色班列で知られるタテハチョウの仲間、〇〇〇チョウ
11. 行動的な女性・お島の奔放な人生を描いた、徳田秋声の小説
13. ことわざ「羹（あつもの）に懲りて〇〇〇を吹く」
14. フィリピン中央部、ルソン島など多数の島からなる〇〇〇諸島
16. ゴルフでフェアウェーを外れた区域にある草地

ヨコのカギ

1. 数列のある項と直前の項との差。差分ともいう
4. 漢字で「薯蕷」とも表す食べ物
7. 芥川賞作品『岬』や『枯木灘』などで知られる戦後を代表する作家の一人
9. 下手な囲碁のたとえに使われる用具
10. 常温で液体である唯一の金属
11. ことわざ「縁は異なもの〇〇なもの」
12. ウズベク人により中央アジアに建てられた〇〇〇・ハン国
13. ことわざ「瓜（うり）の蔓（つる）に〇〇〇はならぬ」
15. 源義経が幼少期を過ごし、修行を積んだと伝えられる〇〇〇寺
17. 偏微分方程式に関する研究等で近現代の女性数学者として先駆的な功績を残した、作家としても知られる19世紀後半のロシアの数学者

第37問 解答欄

1	2	3	■	4	5	6
7			8			
9		■	10			
	■	11		■		■
12			■	13		14
	■	15	16		■	
17						

解答=137ページ

解答日　月　日
時　間　分

解答日　月　日
時　間　分

解答日　月　日
時　間　分

解答日　月　日
時　間　分

オニイトマキエイの別称があるエイ?

タテのカギ

1. 離散したユダヤ人のうち、中世以降ドイツ・東欧に移住した人々
2. 北海道唯一の原子力発電所がある村
3. 「天下第一の関」と称される、万里の長城の東方の起点
4. ことわざ「○○は世につれ世は○○につれ」
5. 上皇のときに保元の乱に敗れ、流された讃岐で一生を終えた、百人一首の歌や落語の演目にもその名を残す平安末期の天皇
8. 確率論の典型的問題、ランダム・ウォークの日本語訳の一つ
9. 箱根寄木細工の発祥の地といわれる、神奈川県箱根町の地区名
13. ギリシャ語で「場所」。論点・観点や文学・芸術で主題を意味する語
16. ナルシシズムを日本語に訳すと○○愛

ヨコのカギ

1. ブロントサウルス、雷竜ともいわれた巨大な恐竜
6. オニイトマキエイの別称があるエイ
7. 釣り餌としてはアカムシ、アカボウフラといわれる蚊に似た昆虫
9. 明治に始まった華族の五つの爵位、公・侯・○○・子・男
10. 飛び杼（ひ）を発明した18世紀英国の紡績技師、ジョン・○○
11. 歌舞伎の舞台で、特にまとまった事柄を朗唱風に述べる台詞（せりふ）
12. ロシア語で「掘り出し物」の意。ウラジオストクの東にある港湾都市
14. 杜松（ねず）の実でつけた独特の風味が特徴の蒸留酒
15. 『パラサイト 半地下の家族』でアカデミー主要各賞に輝いた韓国の映画監督・脚本家
17. 米国でヘラジカのこと
18. 春の季節中の最後にあたる二十四節気の一つ

第38問 解答欄

<table>
<tr><td>1</td><td></td><td>2</td><td>3</td><td>4</td><td></td><td>5</td></tr>
<tr><td></td><td>■</td><td>6</td><td></td><td></td><td>■</td><td></td></tr>
<tr><td>7</td><td>8</td><td></td><td></td><td>■</td><td>9</td><td></td></tr>
<tr><td>10</td><td></td><td>■</td><td>11</td><td></td><td></td><td></td></tr>
<tr><td>12</td><td></td><td>13</td><td></td><td>■</td><td>14</td><td></td></tr>
<tr><td></td><td>■</td><td>15</td><td></td><td>16</td><td></td><td></td></tr>
<tr><td>17</td><td></td><td></td><td>■</td><td>18</td><td></td><td></td></tr>
</table>

解答=137ページ

解答日　月　日　　解答日　月　日
時　間　分　　時　間　分

解答日　月　日　　解答日　月　日
時　間　分　　時　間　分

＊日本経済新聞［日曜版］NIKKEI The STYLE　2020年3月29日「Challenge! CROSSWORD」より

第39問 強気筋のブルに対して弱気筋のこと?

タテのカギ

1. 死人を生き返らせたといわれる、ギリシャ神話の医術の神
2. 根気よく捜しまわること。〇〇の草鞋(わらじ)で尋ねる
3. 相続税・贈与税や固定資産税などの課税基準となる土地評価額
4. 天地創造やエデンの園などが描かれた、旧約聖書巻頭の書
5. 千島列島のロシア語名、〇〇〇列島
8. シンガポールの老舗ホテルに名を遺す、英国の植民地行政官
10. 強気筋のブルに対して弱気筋のこと
12. 米国競馬のケンタッキーダービーが行われるのは〇〇〇コース
13. 『アンチゴーヌ』『ベケット』などで知られるフランスの劇作家

ヨコのカギ

1. 小川未明の代表作である創作童話『〇〇〇〇〇〇〇と人魚』
6. やましい、うしろ暗いことがあること。〇〇に傷持つ
7. ことわざ「〇〇に爪あり、爪に爪なし」
8. オランダ語の背嚢(はいのう)が転じた学用品
9. ヒッチコックの映画化でも知られる、デュ・モーリエの小説
11. 代表曲『バラ色の人生』『愛の賛歌』は自らが作詞、シャンソン歌手のエディット・〇〇〇
12. ほぼ現在のルーマニアにあたる地域の古称で、古代ローマの属州
14. 1898年、初めての車が作られたフランスの自動車メーカー
15. 第二次中東戦争ともいわれる〇〇〇戦争
16. フランスの地名に由来する、英国の金・銀・宝石などの計量に用いられる質量単位系の一つ

第39問 解答欄

1	2		3		4	5
6		■		■	7	
	■	8				
9	10			■		■
11			■	12		13
	■	14			■	
15			■	16		

解答=137ページ

解答日　　月　　日　　解答日　　月　　日

時　間　　　　分　　時　間　　　　分

解答日　　月　　日　　解答日　　月　　日

時　間　　　　分　　時　間　　　　分

＊日本経済新聞［日曜版］NIKKEI The STYLE 2020年4月5日「Challenge! CROSSWORD」より

第40問 生殖期のオスは俗に「鼻曲がり」と呼ばれる魚?

タテのカギ

1. 19世紀末～20世紀初頭に日本人として初めてチベットに入国して多くの仏典を持ち帰り、『西蔵文典』などを著した仏教学者・探検家
2. ネコのヒマラヤンはペルシャと○○○の交配種
3. ひび割れなどを防ぐために壁土に混ぜ込む藁（わら）・麻などの細片
4. 日清戦争では日本軍により攻略された軍港で、1898年からは英国の租借地、ワシントン会議を経て1930年に中国に返還された港
5. 19世紀末に人の乗れるグライダーを開発した、航空技術の先駆的人物
8. 初期フランドル絵画の創始者とされる、ファン・○○○兄弟
10. 江戸時代、御匙（おさじ）ともいわれた将軍・大名などの侍医
12. ことわざ「○○○の学問より京の昼寝」
14. 生殖期のオスは俗に「鼻曲がり」と呼ばれる魚

ヨコのカギ

1. 中国で冬至後105日目の俗習「寒食」のもととなったといわれる、隠遁（いんとん）した山で焼死したと伝えられる、晋の文公の忠臣
6. 潜水して長い息をする水鳥の意から「息、息づく」に掛かる
7. 1898年以来米国領である、マリアナ諸島のうち最大の島
9. ハナゴケ・カブトゴケなど菌類と藻類の共生生物、○○類
10. 安土桃山時代の大盗賊、石川○○○○
11. 衡平法と訳される、英国においてコモン・ローを補正するために判例法として作り上げられ、発達した法体系
13. インド・西アジア・中央アジアなどで食べられる平焼きパン
14. 英国でナイトまたは准男爵の名前に冠する敬称
15. 五・一五事件で殺害された首相の子で戦後、吉田内閣の法相となり、1954年造船疑獄事件で指揮権を発動した後辞任した政治家

第40問 解答欄

1		2	3	4	■	5
	■	6				
7	8		■		■	
9		■	10			
11		12			■	
	■	13		■	14	
15						

解答=137ページ

解答日　月　日
時　間　分

解答日　月　日
時　間　分

解答日　月　日
時　間　分

解答日　月　日
時　間　分

古代から近代まで地中海を中心に使用された軍船?

タテのカギ

1. ポルトガル船マードレ・デ・デウス号を焼き打ちにするも、岡本大八事件で処刑された、天正遣欧使節を派遣したキリシタン大名の一人

2. 「間違う可能性のあることは必ず間違える」とは〇〇〇〇〇の法則

3. タンチョウの生息地として知られる、北海道東部の村

4. 迷いの世界から西方浄土に到る道筋のたとえ、〇〇白道(びゃくどう)

5. 米国の放送・通信産業の老舗で、1986年にＧＥに買収された企業

8. 1571年にスペインなどの連合艦隊がオスマン帝国を撃破した地

10. 音楽の速度標語でアンダンテとラルゴの間

15. 味付けのもとという意味で、醤油(しょうゆ)のこと

18. 1968年の『ローズマリーの赤ちゃん』で映画初主演、女優の〇〇・ファロー

ヨコのカギ

1. 高天原(たかまがはら)の別名

6. フランス国歌『ラ・マルセイエーズ』の作者、ルージェ・ド・〇〇〇

7. 古代から近代まで地中海を中心に使用された軍船

9. イタリア・シチリア島に起源をもつ犯罪秘密組織

11. 省エネ法に定められた指標の一つで、年間熱負荷係数を表す略語

12. 書簡文で自分の名の下に書いて相手に敬意を表す漢字一字

13. キリスト教においてルシフェルは〇〇〇〇たちの頭領

14. 1974年にエチオピアで発見されたアウストラロピテクス・アファレンシスの女性の化石につけられた愛称。名前はビートルズの楽曲に由来

16. ゴルフクラブではヘッドの先端部分のこと

17. 美濃焼の別名、〇〇〇焼

19. 資本主義社会において、プロレタリアートと対立する概念をもつ語

第41問 解答欄

1	2	3		4	■	5
6			■	7	8	
9			10	■	11	
12		■	13			
14		15		■	16	
	■	17		18	■	
19						

解答=138ページ

解答日　月　日　　解答日　月　日

時　間　分　　時　間　分

解答日　月　日　　解答日　月　日

時　間　分　　時　間　分

＊日本経済新聞［日曜版］NIKKEI The STYLE 2020年4月19日「Challenge! CROSSWORD」より

戦国武将・斎藤道三の異名とされる蛇？

タテのカギ

1. 美しい自然の風景を愛でる表現として代表的に使われる四字熟語
2. 元来は丈夫な絹織物の産地として知られる茨城県の地名
3. サメ類とともに板鰓（ばんさい）類を形成する魚類、○○類
4. ハーバーマスと並び称され、彼との論争でも知られるドイツの社会学者。社会システム論の主導者
5. 英軍により世界で初めて戦車が使われた、第一次世界大戦の激戦地
8. イスラム教の二大宗派のうち少数派である○○○派
10. 19世紀のハンガリーの医師、ゼンメルワイスは不遇な生涯を送った○○○○○の父として知られる
12. 昔の言葉で、現在の1時間にあたる
14. 数学でゴールドバッハ予想、リーマン予想は○○○に関するもの
15. 精米の際に七分づき以上九分づきほどに精白度を抑えた○○○米
17. 萼（がく）および花冠を持たない花。無花被花ともいう

ヨコのカギ

1. ケネディ大統領の経済顧問もつとめた米国の代表的経済学者の一人
6. 「会議は踊る」といわれた、1814～15年の○○○○会議
7. 室町幕府で侍所の長官を交代でつとめた武家の家格の称
9. 戦国武将・斎藤道三の異名とされる蛇
11. 中国語で四のこと
12. 1871年にほとんどが県に変わったもの
13. 金の羊皮を得るためアルゴナウタイを率いた、ギリシャ神話の英雄
15. ミシンの発明者として知られる米国の発明家、エリアス・○○
16. 競走でピッチ走法に対する語、○○○○○走法
18. トポロジーともいう数学の一分野

第42問 解答欄

1		2	3	4	5	
	■	6				■
7	8		■	9		10
11		■	12		■	
13		14		■	15	
	■	16		17		
18						

解答=138ページ

解答日　月　日　　解答日　月　日
時　間　　分　　時　間　　分

解答日　月　日　　解答日　月　日
時　間　　分　　時　間　　分

第43問 ある鳥と動物に太陽と月をたとえた言葉?

タテのカギ

1. 美人の形容に使われる四字熟語。澄んだ瞳と白い歯の意
2. デフォーやカミュの作品がとくに有名な、多くの文学の題材となっている人類史上何度も流行した疫病
3. 平安京内裏内郭十二門の一つ。北面の門で玄輝門の西に位置する
4. 中国の王朝名と同じ漢字の日本の市
5. 唐に伝わって景教と呼ばれたキリスト教の〇〇〇〇〇〇派
8. 語尾は「ウ」とも表記され、「夫人」と付けられていた、『アンクル・トムの小屋』で知られる19世紀米国の女性作家
10. 信濃にかかる枕詞
14. 古代の豪族の名に由来する、奈良県北西部にあった旧郡名
16. 漢字で「嗚呼・噫」と書く感動詞

ヨコのカギ

1. 禅宗の開祖・達磨大師にちなむ四字熟語。長年、一心に努力すること
6. 国際法学の創始者の一人でもある、スペインの哲学者・神学者
7. 米独立運動の契機となった、〇〇〇〇茶会事件
9. 1776年発刊のアダム・スミスの主著『諸国民の〇〇』
11. 太陽と月をある鳥と動物にたとえた言葉
12. 英国の作家、フォースターが死後の1971年に出版し、1987年に映画化された男性の同性愛を描いた小説
13. 新カント学派の一派、マールブルク学派の創始者の一人である哲学者
15. 柱状物体が流体中を動くときにできる、カルマン〇〇
16. 推古天皇の時代から大化の改新ごろまでとされる、〇〇〇時代
17. アラビア語では元来「水場へ至る道」の意で、イスラム法のこと。個人の内面的生活から社会や国家のあり方まですべてを定める

第43問 解答欄

1		2	3	4	5	
	■	6				■
7	8			■	9	10
11		■	12			
13		14		■	15	
	■		■	16		
17					■	

解答=138ページ

解答日　月　日　　解答日　月　日
時　間　　分　　時　間　　分

解答日　月　日　　解答日　月　日
時　間　　分　　時　間　　分

近代歴史学の祖といわれる19世紀ドイツの歴史学者?

タテのカギ

1. 夏目漱石に師事し、吉村冬彦などの筆名を持つ物理学者・随筆家
2. 男子の出生を弄璋(ろうしょう)というのに対し、女子の出生のこと
3. 現在、恐竜のティラノサウルス属に分類される唯一の種、ティラノサウルス・○○○○
4. スケール・メリットは○○の経済性、○○効果のこと
5. 白亜紀の化石鳥で、自由に空を飛び回れたと考えられる最古の鳥
8. 『戦国策』に由来する故事成語、母の情を表す「○○○の望」
9. ひなげしのこと
12. 江戸時代以降、関西と蝦夷地・東北との交易に寄与した○○○○船
14. マニラ市北東の都市に名を遺す、フィリピンの大統領
17. あかがねともいう金属

ヨコのカギ

1. 「滅亡の市」「虚栄の市」「天の都」などが出てくる、バニヤンの小説
6. 狂言でいう「猿に始まり、狐に終わる」の猿に当たる演目『○○○猿』
7. 三綱領八条目を説く、四書の一つ
9. 京阪地方でいう、芸妓などに与える祝儀、チップのこと
10. 競走馬の馬体の名称で、後部にある腰部、臀部、後肢のこと
11. 第二次ポエニ戦争でハンニバルを破った、古代ローマの将軍
13. 近代歴史学の祖といわれる、19世紀ドイツの歴史学者
15. インド・パキスタンの国境付近にある○○○砂漠
16. ダ・ビンチやラファエロの影響を受けた情緒的作風で知られる、16世紀イタリア・シエナで活躍した画家
18. 歴史的には17世紀中盤の英国史上唯一の共和政の時期をいい、現在は旧英国領植民地からなる英連邦の緩やかな連合体を指す言葉

第44問 解答欄

1		2	3	4		5
	■	6			■	
7	8			■	9	
10		■	11	12		
13		14	■	15		
	■	16	17		■	
18						

解答=139ページ

解答日　　月　　日　　解答日　　月　　日

時　間　　　　分　　時　間　　　　分

解答日　　月　　日　　解答日　　月　　日

時　間　　　　分　　時　間　　　　分

＊日本経済新聞［日曜版］NIKKEI The STYLE　2020年5月10日「Challenge! CROSSWORD」より

『戦国策』に由来する故事成語「死馬の○○を買う」？

タテのカギ

1. 波形を描いた衣服の文様名でも知られる雅楽の唐楽で、盤渉(ばんしき)調の曲
2. スタンリー・キューブリック監督、1963年制作の映画『博士の異常な愛情　または私は如何にして心配するのを止めて○○○○を愛するようになったか』
3. アリストテレスが人間の最高の活動とした、観想、観照と訳される語
4. 尊厳な威光、斎(い)み清められていること。漢字で「厳・稜威」と書く
5. 1938年発表の『乗合馬車』『日光室』で女性初の芥川賞を受賞した作家
8. 山陰の戦国大名・尼子氏の城で難攻不落といわれた○○○○富(と)田(だ)城
10. 実は偽書だとされる、徳川幕府が農民に出した○○○○の触書
12. 特にブランデー・ウイスキーなど蒸留酒を指す言葉
15. 『戦国策』に由来する故事成語「死馬の○○を買う」

ヨコのカギ

1. 原題は『カリストとメリベアの悲喜劇』。後のピカレスク小説の源流で、近代写実主義のさきがけといわれる15世紀末のスペインの小説
6. 多くの玉を糸に貫いたもの。○○○統(すばる)、○○○御統(みすまる)
7. 圧倒的な一強状態の市場のこと。○○○○型寡占
8. 旧約聖書では英雄サムソンの活躍の地として、また古来通商・軍事上の要地として知られる、パレスチナ自治政府の行政区画
9. 11名ずつの二チームで競う、英国の伝統的・国民的球技
11. ことわざ「○○を蔵に積む」
13. 元来は禅宗で問答をして相手の修行の程度を試すこととされる語
14. 国の登録有形文化財である、福岡県飯塚市の芝居小屋、○○劇場
16. 原題は『後ろの家』。世界的ベストセラー『○○○の日記』
17. 行動経済学の基礎を確立した社会心理学者、ダニエル・○○○○○

第45問 解答欄

1		2	3	4		5
	■	6			■	
7				■	8	
	■	9		10		
11	12	■	13			
■	14	15	■	16		
17					■	

解答=139ページ

解答日　　月　　日

時　間　　　　分

解答日　　月　　日

時　間　　　　分

解答日　　月　　日

時　間　　　　分

解答日　　月　　日

時　間　　　　分

第46問 スペイン語で既婚女性の名に冠する敬称？

タテのカギ

1. 1867年秋頃から東海・近畿・四国を中心に広まった民衆の乱舞
2. 日露戦争の旅順での戦闘で日本軍に降伏した、ロシア軍の司令官
3. 奄美・沖縄地方で、御嶽（うたき）と呼ばれる聖域のなかの神が鎮座する場所
4. インド神話でヴィシュヌ神の后。仏教では毘沙門天の后とされる
5. 東洋の書道に代表される、筆触と筆線を主とする平面芸術の総称
9. 洋服地で約91センチ幅のものを〇〇〇幅という
12. インド神話でシバ神の妻である女神、パールバティーのさまざまな異称の一つで、「親切な女」の意
15. 期待外れに終わることのたとえ。〇〇を植えて稗（ひえ）を得る

ヨコのカギ

1. 遠いものは急場の用には立たないことをたとえた四字熟語
6. 沖縄で食用の豚足、また豚足を煮込んだ料理のこと
7. 『論語』の一節に由来する、30歳の異称
8. ゴルフの全英オープンの優勝者に贈られる、クラレット・〇〇〇
10. スペイン語で既婚女性の名に冠する敬称
11. かつてリン鉱石の採掘で栄えた、南太平洋の島国
13. 不条理演劇の旗手として活躍した米国の劇作家、オールビーの代表作『ヴァージニア・〇〇〇なんかこわくない』
14. ピーター・ウィアー監督、ロビン・ウィリアムズ主演の映画『〇〇を生きる』
15. カミソリガイの俗称がある食用貝、〇〇ガイ
16. ジェボンズ、ワルラスとともに限界効用理論を確立し、オーストリア学派の創始者として知られる経済学者

第46問 解答欄

<table>
<tr><td>1</td><td></td><td>2</td><td>3</td><td>4</td><td></td><td>5</td></tr>
<tr><td></td><td>■</td><td>6</td><td></td><td></td><td>■</td><td></td></tr>
<tr><td>7</td><td></td><td></td><td>■</td><td>8</td><td>9</td><td></td></tr>
<tr><td></td><td>■</td><td>10</td><td></td><td></td><td></td><td></td></tr>
<tr><td>11</td><td>12</td><td></td><td>■</td><td>13</td><td></td><td></td></tr>
<tr><td>14</td><td></td><td>■</td><td>15</td><td></td><td>■</td><td></td></tr>
<tr><td>16</td><td></td><td></td><td></td><td></td><td></td><td></td></tr>
</table>

解答=139ページ

解答日　　月　　日　　解答日　　月　　日

時　間　　　　分　　時　間　　　　分

解答日　　月　　日　　解答日　　月　　日

時　間　　　　分　　時　間　　　　分

＊日本経済新聞[日曜版]NIKKEI The STYLE　2020年5月24日「Challenge! CROSSWORD」より

洋画でカンバスの大きさを示す単位?

タテのカギ

1. 『笈の小文』の旅への同行でも知られる松尾芭蕉の門人、坪井○○○
2. 中世の欧州で王侯貴族に仕えた職業音楽家・芸人のこと
3. 英語ではツリートマトとも呼ばれる、ペルー原産の果実
4. 雅人の風流韻事とされる琴棋書画の「棋」とはこれのこと
5. 北アフリカでジブラルタル海峡に面するスペイン領の要塞都市
9. 沖縄方言で「協同労働」「助け合い」などを意味する言葉
11. 14世紀のペスト流行を背景に書かれた、ボッカチオの短編小説集
13. 1960～70年代に英国・労働党政権の蔵相顧問をつとめた、ポスト・ケインジアンの代表的経済学者の一人
14. 漢字で「鶲」と書く、オオルリなどが属する鳥の総称
17. 動物小説『片耳の大鹿』『孤島の野犬』などで知られる作家、○○鳩十

ヨコのカギ

1. フランスの詩人・クローデルや俳人・河東碧梧桐との交遊でも知られる、代表作に『御室の桜』『万葉春秋』などがある日本画家
6. 記数の位取りに用いる点
7. 洋画でカンバスの大きさを示す単位
8. 菖蒲湯や柚子湯など薬用植物を入れた湯、また薬効のある温泉の総称
10. ことわざ「○○食う虫も好き好き」
12. 三人の有力者が率いる、○○○○体制
14. 牛・豚などの腰部や肋間の上等な肉
15. 特産品の団扇で知られる香川県の市
16. ヘブライ語で「学習・研究・教訓」を意味する、十数世紀にわたり口伝された習慣律を集大成したユダヤ教の宗教的典範
18. 『コーラン』よりも原音に近い、イスラム教の聖典の呼称

第47問 解答欄

1	2	3		4	5	
6			■	7		■
8			9	■	10	11
■	12			13	■	
14		■	15			
16		17			■	
	■	18				

解答=140ページ

解答日　月　日		解答日　月　日
時　間　分		時　間　分
解答日　月　日		解答日　月　日
時　間　分		時　間　分

米民主党のシンボルマークとされているのは、この動物?

タテのカギ

1. 深草少将と小野小町の悲恋の伝説などに由来する、男の恋の熱烈さ、また恋愛の思うようにならないことのたとえ
2. 英国の自動車レーサー、航空パイロット、自動車製造業者で、1910年に英国航空界で初めて飛行中に事故死した人物
3. 第二次大戦後の陸上界の英雄、ザトペックの愛称「人間○○○○○」
4. アルプス地方に伝わる胸声とファルセットを交互に織り交ぜた唱法
5. 本来は制御工学や通信工学の用語で、日本語で帰還ともいう語
9. 英語semanticsの一般的な訳語で、言語学・論理学に用いられる用語
12. スペイン風邪で早世したオーストリアの画家、エゴン・○○○
15. 古代ギリシャの竪琴。中世以降の欧州では弓奏弦楽器の名にも
16. 香川県屋島のように、頂上が平坦で周囲が急傾斜した卓状地形

ヨコのカギ

1. ダリの協力による幻想シーンが印象的な、ヒッチコック監督の映画
6. 楽譜のト音記号のもととなったアルファベット
7. 『危機の二十年』などで知られる英国の国際政治学者、エドワード・ハレット・○○
8. コードネーム「オーバーロード作戦」で1944年に連合軍が上陸した地
10. 親指と他の四本の指でV字形をつくり相手の脇を押す、○○押し
11. 金日成暗殺のために極秘に結成された特殊部隊の悲劇を描いた、2003年の韓国映画。タイトルは訓練が行われた仁川沖にある島の名
12. もとは剣道で剣をななめに構えること。○○に構える
13. 米民主党のシンボルマークとされているのは、この動物
14. クーロアールやルンゼとも呼ばれる、急峻な岩溝をさす登山用語
16. 日本語でも中国語でも、面目、体面のこと
17. 歌舞伎『与話情浮名横櫛（よわなさけうきなのよこぐし）』の登場人物で、同作品の通称

第48問 解答欄

1	2		3	4		5
6		■	7		■	
8					9	
10		■	11			
	■	12		■	13	
14	15		■	16		
17					■	

解答=140ページ

解答日　月　日　　解答日　月　日

時　間　　分　　時　間　　分

解答日　月　日　　解答日　月　日

時　間　　分　　時　間　　分

*日本経済新聞[日曜版]NIKKEI The STYLE 2020年6月7日「Challenge! CROSSWORD」より

点字に対し、手で書いたり印刷したりした文字のこと?

タテのカギ

1. 松尾芭蕉の句「五月雨をあつめて早し〇〇〇〇〇」
2. フランスの哲学者でポスト構造主義の旗手、ジャック・〇〇〇
3. ジャズで即興的に反復される短いリズミカルな楽句
4. ギリシャ神話でヘラに民を疫病で滅ぼされたとき、ゼウスに祈ってアリを人間に変えてもらったという、敬虔(けいけん)なことでも知られる英雄
5. 徳川慶喜が大政奉還の上表を行った城
9. スリ・ジャヤワルダナプラ・コッテを首都とする国
13. その独特の鳴き方が古来「敲(たた)く」といわれる鳥、緋〇〇〇
15. 終戦後のヒット曲『リンゴの唄』を歌った歌手、並木〇〇〇
17. きわめてケチなたとえ「出すことは〇〇を出すのも嫌い」

ヨコのカギ

1. 1985年にノーベル賞を受賞した「ライフ・サイクル仮説」で知られるイタリア出身の米国の経済学者。人物画で有名な画家と同名
6. エジプト出身で第六代国連事務総長をつとめた、ブトロス・〇〇
7. 身分や地位を離れた付き合い、〇〇の交わり
8. 触れるものすべてが金に変わる能力を授かった、ギリシャ神話の王
10. 『源氏物語』帚木(ははきぎ)の巻の有名な場面、〇〇〇の品定め
11. 題名に「その愛」「その死」と続く、檀一雄の代表作のヒロイン
12. 江戸時代には海中に泉源があり「涌浦」と書いた〇〇〇温泉
14. 点字に対し、手で書いたり印刷したりした文字のこと
16. 英国が米国植民地から猛反発に遭った、1765年の〇〇〇法
18. 『君が代』の歌詞の一節「〇〇に八〇〇に」
19. ゴッホの作品に感銘を受けて、青森から上京したエピソードでも知られる、日本を代表する版画家

第49問 解答欄

1	2		3	4		5
6		■	7		■	
8		9	■	10		
	■	11			■	
12	13		■	14	15	
■	16		17	■	18	
19						

解答=140ページ

解答日　　月　　日

時　間　　　　分

解答日　　月　　日

時　間　　　　分

解答日　　月　　日

時　間　　　　分

解答日　　月　　日

時　間　　　　分

＊日本経済新聞[日曜版]NIKKEI The STYLE　2020年6月14日「Challenge! CROSSWORD」より

第50問 七宝の一つで、一般的にラピスラズリのこと?

タテのカギ

1. 英国の登山家ウェストンの著作で有名になった中部地方の山々
2. 群馬・福島・新潟の三県にまたがる湿地帯で景勝地
3. 「色彩の魔術師」と称される服飾デザイナー、エマニュエル・〇〇〇〇
4. 「守宮」と書く爬虫類
5. 口を開き牙を出した、険しい相の能面
8. 枢機卿が外部と隔離された状態で行う、ローマ教皇の選出会議
10. ことわざ「〇〇〇に油揚げをさらわれる」
12. インド憲法が定める、ヒンディー語でのインドの正式国名
16. 「大殿」、「大臣」と書く、貴人の邸宅の尊称
18. ことわざ「〇〇が通れば道理が引っ込む」
20. 七宝の一つで、一般的にラピスラズリのこと

ヨコのカギ

1. 『源氏物語』で、薫とともに宇治十帖の主人公
6. 裁判所から命ぜられる、仮差押え・仮処分等の〇〇〇処分
7. 法隆寺金堂、薬師寺三重塔などに見られる、仏堂・塔などの軒下の壁面につくられた差掛け。雪打(ゆた)ともいう
9. 発明者の名がついた、銃身を回転させながら連射する〇〇〇〇〇砲
11. ケルト伝説で、アーサー王たちが死後に赴いたといわれる極楽島
13. ことわざ「病は〇〇より入り禍(わざわい)は〇〇より出(い)ず」
14. フランス料理で、小麦粉をバターで炒めたもの
15. 弦楽三重奏に用いられるのはバイオリン、チェロとこれ
17. 東欧ではスリヴォヴィッツというブランデーの原料となるフルーツ
19. ソーともいう、北欧神話の主要神で戦・雷・農業の神
21. 戯曲『令嬢ジュリー』、小説『赤い部屋』などで知られるスウェーデンの劇作家・小説家。イプセンと並ぶ近代演劇の先駆者の一人

第50問 解答欄

1	2	3		4	■	5
6			■	7	8	
	■	9	10			
11	12			■	13	
14		■	15	16		■
17		18	■	19		20
21						

解答=140ページ

解答日　月　日　　解答日　月　日

時　間　分　　時　間　分

解答日　月　日　　解答日　月　日

時　間　分　　時　間　分

水銀柱ミリメートルと数値が等しい、圧力の単位？

タテのカギ

1. 宮沢賢治『銀河鉄道の夜』にも出てくる、南十字星に隣接する暗黒星雲の日本語名。英語では「コールサック」
2. 「こんま」ともいう、仏教の戒律で受戒・懺悔などの作法のこと
3. シーボルトの娘で産婦人科医として知られる楠本○○
4. 胞子茎を土筆（つくし）というトクサ科の植物
5. クリストファー・ノーラン監督の2020年の映画。英語の意味は「教義、主義、信条」
6. 北欧神話で世界の南の果てにあるという炎熱の国
10. 古代ギリシャの哲学者、ピュロンを祖とする思想上の立場を表す語
11. ゴルフで各ホールごとの基準打数
14. 7月の誕生石
15. アイヌ語で「険しい葦原（あしはら）の道」を意味する「ルシュプキ」を語源とする、北海道のリゾート地

ヨコのカギ

1. 米国の社会学者、ウォーラーステインが提唱した○○○○○○○論
7. イソップ寓話『酸っぱい葡萄（ぶどう）』で負け惜しみを言う動物
8. 世界一を収集する書籍の通称『○○○・ブック』
9. 山上憶良の歌「銀（しろかね）も金（くがね）も○○も何せむにまされる宝子にしかめやも」
10. 薄切りの小さなパンに具をのせたりペーストを塗ったりした前菜
11. ギリシャ語のアルファベットの16番目の文字
12. 水銀柱ミリメートルと数値が等しい、圧力の単位
13. 生態系への影響が問題視されるがルアー釣りの対象魚ともなっている、1960年に日本に移入された北米原産の淡水魚
16. 非常な功名をたてたことを喜ぶたとえ「鬼の○○を取ったよう」
17. 英国の極地探検家にちなんで命名された、南極大陸沿岸の海域
18. 所得分布の不平等度を示すとされる、○○○○○曲線

第51問 解答欄

1	2	3		4	5	6
7			■	8		
9		■	10			
	■	11		■	12	
13	14			15	■	
16		■	17			
18					■	

解答=141ページ

解答日　月　日　　解答日　月　日
時　間　分　　時　間　分

解答日　月　日　　解答日　月　日
時　間　分　　時　間　分

大型のバス、弦を張った スネアなどがある楽器？

タテのカギ

1. ギリシャ神話に出てくる、すべての不幸が飛び出し「希望」だけが残ったといわれる入れ物

2. フランス近代詩の祖といわれる16世紀の宮廷詩人、クレマン・○○

3. 英国清教徒革命初期の指導者、ジョン・○○

4. 雨の日の囲碁がテーマの落語といえばこの演目

5. ロシア国民文学の創始者・プーシキンが書いた1836年刊の歴史小説

7. 付近の海水浴場でも知られる三方五湖の一つ、○○○湖

9. 従来のセム・ハム語族に代わる近年の名称、○○○・アジア語族

12. 新聞の題字などに見られる、小篆を簡略化した漢字書体

13. フランクフルト学派の指導的存在であるドイツの哲学者

17. 数学では除数または乗数のこと。反対語は実

ヨコのカギ

1. スペイン・マヨルカ島の中心都市で、国際的観光都市

3. 薄切り肉に小麦粉と溶き卵をつけ、バターで焼いたイタリア料理

6. 幕府から『海国兵談』絶版を命ぜられて詠んだ歌「親も無し妻無し子無し板木無し金も無けれど死にたくも無し」に由来する、林子平の号

8. 門戸開放、自由貿易を意味する英語、オープン・○○

10. 律令制で格段に優遇されたのは、位階が○○以上の者

11. 悪臭を放つことでも知られる、世界最大の花を持つ熱帯植物

14. 米大リーグのワールドシリーズで「バンビーノの」は2004年に、「ヤギの」は2016年に解かれたものといえば

15. 大型のバス、弦を張ったスネアなどがある楽器

16. 旧約聖書に出てくる「ホルスの池」の意のエジプト語。ナイル川のこと

18. 『荘子』に由来する、現実と夢の区別がつかないことのたとえ

第52問 解答欄

1		2	■	3	4	5
	■	6	7			
8	9	■		■	10	
11		12		13	■	
14			■	15		
	■	16	17		■	
18						

解答=141ページ

解答日　　月　　日　　解答日　　月　　日

時　間　　　　分　　時　間　　　　分

解答日　　月　　日　　解答日　　月　　日

時　間　　　　分　　時　間　　　　分

持国天・増長天・広目天・多聞天の総称?

タテのカギ

1. 7~8月に旬を迎える、コノシロの幼魚

2. 1848年創設の、米国で最も古い先物取引所の一つがある都市

3. スペンサー・トレイシー主演で映画化された、ヘミングウェイの代表作

4. 『史記』に由来する忠臣のたとえ、○○○の臣

6. 南米大陸の南端とマゼラン海峡を隔てて向かい合う島、○○○島

8. 持国天・増長天・広目天・多聞天の総称

9. 夕刻すぎに飛びながら虫を捕食するため蚊吸鳥(かすいどり)ともいわれる鳥

11. 『三国志演義』に出てくる呂布(りょふ)や関羽(かんう)の愛馬、○○○馬

12. 1924年に中国国民党が設立した、○○○軍官学校

14. 『論語』に由来する、50歳の異称

16. 三味線の基本の調弦とされる、○○調子

ヨコのカギ

1. 林羅山の登用により徳川幕府の御用学問となった○○○学

3. フランス、ルイ15世の時代の装飾様式

5. 世阿弥の用語で、観客の感動を自在に誘い出す芸風のこと

7. 『吾妻鏡』に見られる、源義経が兄頼朝の不興を買って鎌倉に入ることを許されなかった折に、大江広元に宛てて書いたとされる書状

10. 悪者・ごろつきの意。浄瑠璃『義経千本桜』の登場人物名に由来

11. ミンガンとも呼ばれる、モンゴル遊牧民の伝統的行政軍事組織

13. 帯広市を中心とする、北海道の○○○平野

15. フランシス・ベーコンが提唱し、ジョン・スチュアート・ミルが大成した科学的研究法

17. 法隆寺が所蔵していた現存最古の聖徳太子像とされるもの。現在は御物(ぎょぶつ)

第53問 解答欄

1		2	■	3		4
	■	5	6		■	
7	8				9	
■		■	10			■
11		12	■	13		14
15			16		■	
17						

解答=141ページ

解答日　　月　　日

時　間　　　　分

解答日　　月　　日

時　間　　　　分

解答日　　月　　日

時　間　　　　分

解答日　　月　　日

時　間　　　　分

＊日本経済新聞［日曜版］NIKKEI The STYLE 2020年7月12日「Challenge! CROSSWORD」より

第54問 東京都小笠原村に属する日本最南端の島？

タテのカギ

1. マックス・ウェーバーやマルクス研究で知られ、近代資本主義の形成に関して独自の体系を構築した京都生まれの経済史学者
2. 日本では梅雨・秋霖（しゅうりん）の時期が代表的
3. 後宮十二司の一つで清掃・湯あみ・灯火などを司る○○○司（づかさ）
4. 源義仲が火牛の計で平維盛の軍を破ったとされる、○○○○峠の戦い
5. 冷戦時代、自由主義体制の諸国は○○側
6. 源平合戦の源氏や南北朝時代の南朝などが頼った海上の一大勢力
8. 代表作は『青い眼がほしい』『ビラヴド』。米国における黒人女性の存在を独自の作風で表現したノーベル賞作家
11. 近代統計学の祖といわれる、19世紀ベルギーの統計学者・天文学者
13. 明代、北アジアに大帝国を築いたモンゴルの部族・オイラートの首長
18. 19世紀初期に再流行した、古代ギリシャのクリスモスとはこの家具

ヨコのカギ

1. ロカンタンという人物の日記の形式で綴られる、サルトルの小説
4. 「敵を欺く手段として自分の身を苦しめること」が本来の意味の熟語
7. 東京都小笠原村に属する、日本最南端の島
9. 息子アウグスティヌスをキリスト教に改宗させた聖女
10. 即金でなく、後日清算する約束でする売買
12. ポルトガルの海軍士官出身、徳島で晩年を終えた日本文化研究家
14. 幕末の武士、岡田以蔵・中村半次郎・河上彦斎（げんさい）に共通する異名
15. 「供給はそれ自身の需要を生み出す」は○○の法則
16. ブーレグレグ川を挟みモロッコの首都ラバトと対岸にある城郭都市
17. ジャズでとくに1930年代のベニー・グッドマンらの演奏形式を指す言葉
19. 1936年のベルリン五輪で100メートルや走り幅跳びなど四種目に優勝、「褐色のカモシカ」と称された米国の陸上選手、ジェシー・○○○○○

第54問 解答欄

1	2	3	■	4	5	6
7			8			
	■	9			■	
10	11	■	12		13	
14				■	15	
16		■	17	18		
19					■	

解答=142ページ

解答日　　月　　日　　解答日　　月　　日

時　間　　　　分　　時　間　　　　分

解答日　　月　　日　　解答日　　月　　日

時　間　　　　分　　時　間　　　　分

ふくらはぎのあたりまでのスカート丈のこと?

タテのカギ

1. 奈良時代の貴族、藤原仲麻呂が道鏡に反乱を起こし、敗死した際の名

2. 分子の最高被占軌道(HOMO、ホモ)に対して、最低空軌道のこと

3. 第二次世界大戦で連合軍の徹底した爆撃を受けた、ドイツ東部の都市

4. プラトンの語で根拠のない主観的信念。「エピステーメー」に対する語

5. 安酒場の意の俗語に由来する、ラグタイムのピアノ演奏のスタイル

8. 主にヒラメやカレイにいう、魚のひれの基部についた肉

10. 仏像の手指が示す特定の形

12. 某巨大IT企業名はこの語に由来するという、10の100乗を表す造語

15. 中国で莫大な富・富豪の意の成語にその名をはせる、春秋時代の商人

17. コーヒーの産地として知られる、米国ハワイ島西部の地域名

ヨコのカギ

1. 南米にあると信じられた伝説の黄金郷。黄金を塗った男の意

6. ふくらはぎのあたりまでのスカート丈のこと

7. かんきつ類の果実に多く含まれる、○○○酸

9. 1価の原子団OHの古い言い方。現在の呼称はヒドロキシ基

11. 850語からなる「ベーシック英語」を創案して、その研究・普及に努め、共著『意味の意味』でも知られる英国の言語心理学者

13. 主に米国南東部に生息する大型淡水魚、アリゲーター・○○

14. 最初のテレビ伝道者の一人とされる、米国のカトリック教会聖職者

15. 1958～61年にかけての好景気、○○○景気

16. ことわざ「○○に乗る人担ぐ人そのまた草鞋（わらじ）を作る人」

17. 生き別れになった双子姉妹の運命を描く、川端康成の小説

18. 四代目は『東海道四谷怪談』などで有名、江戸時代の歌舞伎作家

第55問 解答欄

1	2	3		4	■	5
6			■	7	8	
	■	9	10			
11	12			■	13	
14			■	15		
16		■	17		■	
18						

解答=142ページ

解答日　月　日	解答日　月　日
時　間　分	時　間　分
解答日　月　日	解答日　月　日
時　間　分	時　間　分

第56問 神や霊、または高貴な人を数える単位に用いる語？

タテのカギ

1. 「より先なるものから、先天的」の意の哲学用語
2. フランス料理などに使われる野菜、クレソンの和名
3. 『キャラメル工場から』で知られるプロレタリア作家、〇〇稲子
4. 流行にのせられやすい人々のこと。みいちゃん〇〇ちゃん
5. 1951年創刊のフランスの映画批評誌、『〇〇〇・デュ・シネマ』
7. 歌い出しの三文字は「おどま」。熊本県民謡『〇〇〇の子守歌』
10. 数年前まで高騰が問題視されていた、香料に使われるラン科の植物
12. 春の『隅田川』と並び称される、能の狂女物の名作
13. 競馬で、レースの数日前に行われる調教のこと
16. タイの通貨単位

ヨコのカギ

1. 漢字で「石蓴」と書く海藻
4. 主人公は瀬川丑(うし)松。島崎藤村による日本自然主義文学の先駆的小説
6. 紀元前479年にギリシャ連合軍がペルシャ陸軍を撃破した地
8. 「生体のエネルギー通貨」とも呼ばれる、アデノシン三〇〇酸
9. ナチス総統・ヒトラーの愛人で1945年4月29日に結婚、翌30日にヒトラーとともに自殺した〇〇・ブラウン
11. 1928年、アムステルダム五輪の三段跳びで日本人初の金メダリストとなった陸上選手
14. 普通の道理では推定できない不思議な道理。〇〇〇の理
15. イエス・キリストが十字架上で被せられた、〇〇〇の冠
17. ヨハン・シュトラウスの行進曲で称えられた、オーストリアの軍人
18. 神や霊、または高貴な人を数える単位に用いる語
19. 西洋版「浦島太郎」といわれる、〇〇〇・ヴァン・ウィンクル

第56問 解答欄

1	2	3	■	4	5	
6			7			■
8		■		■	9	10
11		12		13	■	
14			■	15	16	
■	17					■
18			■	19		

解答=142ページ

解答日　　月　　日　　解答日　　月　　日

時　間　　　　分　　時　間　　　　分

解答日　　月　　日　　解答日　　月　　日

時　間　　　　分　　時　間　　　　分

＊日本経済新聞[日曜版]NIKKEI The STYLE 2020年8月2日「Challenge! CROSSWORD」より

第57問 伊勢神宮で20年ごとに行われる、○○○○遷宮？

タテのカギ

1. 「映画の父」といわれるリュミエール兄弟が1895年に発明した機械
2. 「けむり」を「けぶり」とするなど、五十音図の同行・同段の音の転換
3. 密教で加持した香水(こうずい)を注いで煩悩・垢穢(くえ)を除く、浄めの儀礼
4. フッサールの現象学の用語で、意識の対象的側面
5. フツ人と○○人の対立が招いた、1994年のルワンダ虐殺
9. フェミニストとして知られ、過激な性描写や痛烈な風刺が賛否両論の的となることも多い、オーストリアのノーベル賞作家
10. 書・楽焼・蒔絵(まきえ)・茶道など多方面に秀でた芸術家、本阿弥○○○○
13. 伊勢神宮で20年ごとに行われる、○○○○遷宮
14. インドネシア・スラウェシ島出身で、東南アジア全域で活動した民族
16. チンギス・ハンの孫、フラグが建国した、○○・ハン国
17. ことわざ「坊主憎けりゃ○○まで憎い」

ヨコのカギ

1. 松尾芭蕉が詠嘆したという、現在の福井県あわら市にあった松
6. 思い残すところがなくなること。○○が晴れる
7. 平群(へぐり)にかかる枕詞、○○畳
8. 1913年、島村抱月とともに芸術座を組織した女優
11. 北海道日本ハムファイターズの前身、○○○○フライヤーズ
12. ことわざ「○○に引かれて善光寺参り」
14. 「無射」と書く、中国音楽十二律の一つ
15. フランス中世の韻文『狐(きつね)物語』をゲーテが翻案した叙事詩
18. オノ・ヨーコ、ヨーゼフ・ボイス、ナム・ジュン・パイクなども参加した、1960～70年代にニューヨークで展開した前衛芸術の運動

第57問 解答欄

1	2		3	4		5
6		■	7		■	
8		9			10	■
11				■	12	13
	■		■	14		
15	16		17			
18					■	

解答=143ページ

解答日　　月　　日
時　間　　　　分

解答日　　月　　日
時　間　　　　分

解答日　　月　　日
時　間　　　　分

解答日　　月　　日
時　間　　　　分

＊日本経済新聞[日曜版]NIKKEI The STYLE 2020年8月9日「Challenge! CROSSWORD」より

第58問 ワーグナーの歌劇で知られる聖杯伝説の英雄?

タテのカギ

1. 終戦直後の東久邇宮内閣で副首相格の国務相として入閣、憲法改正などにあたるも後に戦犯となり自殺した日中戦争開始時の首相
2. 大正時代の代表的無政府主義者で、関東大震災の混乱の最中に妻・伊藤野枝らとともに憲兵大尉・甘粕正彦に殺害された人物
3. 好意があだになるたとえ「酒買って○○切られる」
4. 聖徳太子とその母・后の墓所とされ「上之太子（かみのたいし）」といわれる寺
5. 1932年に李成桂が興し、1910年の日韓併合により滅亡した王朝
8. 女房詞（ことば）でかつお節のこと
13. 江戸時代の俗謡の一節「○○○名古屋は城で持つ」
15. フランスの博物学者で思想家・ビュフォンの言葉「○○は人なり」

ヨコのカギ

1. 日本神話でイザナギ・イザナミの二神に夫婦の道を教えたという説話から、セキレイの異称
6. 退位された天皇、上皇の称。○○○の帝
7. ギリシャ神話で曙（あけぼの）の女神。ローマ神話のアウロラにあたる
9. 哲学用語でagnosticismの訳、○○○論
10. 摩擦も抵抗もある自然界での変化は、厳密にはすべて○○○○○変化
11. 阿倍仲麻呂の歌に詠まれたことで知られる、奈良の○○○山
12. 根茎は補血・強壮・血糖降下作用がある漢方生薬となる薬用植物
14. カルタ・花札賭博で9を意味する語
16. 晩稲（おくて）の反対
17. ワーグナーの歌劇で知られる、聖杯伝説の英雄

第58問 解答欄

1		2	3	4		5
	■	6			■	
7	8		■	9		
10					■	
11			■	12	13	
	■	14	15	■	16	
17						

解答=143ページ

解答日　月　日　　解答日　月　日

時　間　分　　時　間　分

解答日　月　日　　解答日　月　日

時　間　分　　時　間　分

第59問

視力測定に用いられる環状指標、○○○○○環?

タテのカギ

1. 15世紀末、フィレンツェに神政的民主制を敷いた宗教改革者

2. 近藤勇の愛刀にもその名を遺す、江戸前期の刀工

3. 主に南東部のビアフラ地方に居住する、ナイジェリアの主要民族

4. 1600年、初めて日本に来航したオランダ帆船

6. 朝鮮戦争の際の特需景気の一つ。繊維産業を意味する○○○○景気

8. 北米大陸最高峰の正式名。北米先住民による呼称

10. 英国のグレート・ブリテン島の古称で「白い土地」などの意

14. 論理演算の一つ。複数の命題すべてが真であるときのみ真となる

16. 有名だ、評判が高いという意味。○○に聞く

ヨコのカギ

1. 米国の裁判史上有名な、1920年代にイタリア移民の無政府主義者が証拠不十分のまま殺人犯とされ処刑された○○○・ヴァンゼッティ事件

3. ナマコの腸を取り去り、ゆでて干した、中国料理の高級食材

5. 20世紀前半に活躍したフランスのバイオリニスト、ジャック・○○○○

7. バレエ『白鳥の湖』で白鳥に姿を変えられた王女

9. 日本式音名の「へ」、イタリア式では?

11. 『居酒屋』の主人公・ジェルベーズの娘を主人公とするゾラの小説

12. 『メサイア』などで知られる、バッハと並び称されるドイツ出身の作曲家

13. 第二次世界大戦中は占領されてドイツの潜水艦基地となった、フランス北西部の軍港でフランス有数の漁港でもある港湾都市

15. モンゴル高原南東部に広がる○○砂漠

16. 鮪(しび)に掛かる枕詞、○○○よし

17. 視力測定に用いられる環状指標、○○○○○環

第59問 解答欄

1		2	■	3	4	
	■	5	6			■
7	8			■	9	10
11		■	12			
13		14		■	15	
	■		■	16		
17					■	

解答=143ページ

解答日　月　日　　解答日　月　日

時　間　　分　　時　間　　分

解答日　月　日　　解答日　月　日

時　間　　分　　時　間　　分

栃木県日光市と群馬県沼田市の境界にある○○○山?

タテのカギ

1. イタリア王ロターリオ二世の王妃となった後、神聖ローマ帝国オットー一世の王妃・皇后に迎えられた、カトリック教会の聖女
2. ロマン・ロランの代表作『ジャン・○○○○○』
3. フランス語でセリーという音楽用語
4. うなぎときゅうりを使った料理
5. 60歳以降、厚生年金に加入しながら受け取る、○○○○○老齢年金
8. 日・昼・照る・君・紫などにかかる枕詞
12. 日本で主に鵜飼いに用いる鵜の種類
13. 栃木県日光市と群馬県沼田市の境界にある○○○山
15. 奈良時代の左大臣、橘諸兄(たちばなのもろえ)が別荘を置いた京都南部の地名

ヨコのカギ

1. 古代インドのアショーカ王の舎利塔を建立したと伝わる、中国浙江省寧波(ニンポー)にある山で、宋朝五山の一つ
6. 鎌倉時代に栄西が伝えた禅宗の一派、○○○○宗
7. 著名人にも多くみられるという、読み書きに困難を伴う学習障害
9. 虫眼鏡は○○レンズの代表
10. 旧制大学入学前の段階で、旧制高等学校に相当する課程
11. 25年の短い生涯で歴史小説『リヒテンシュタイン』、幻想小説『悪魔の覚書』、童話集『隊商』など多くの作品を残したドイツの作家
13. 300年以上生きたともいわれる記紀伝承上の人物、武内(たけしうちの)○○○
14. 婚礼で避けるべき「切る」「帰る」などの語、○○言葉
15. ドイツの劇作家ブレヒトが提唱した演劇理論、○○効果
16. ペロポネソス戦争を記述した『歴史』で知られる、アテネの歴史家

第60問 解答欄

1		2	3	4	5	
		6				
7						8
		9			10	
11	12			13		
14			15			
16						

解答=143ページ

解答日　月　日　　解答日　月　日

時　間　分　　時　間　分

解答日　月　日　　解答日　月　日

時　間　分　　時　間　分

クロスワードの解答&一般的な表記

第1問

問題 6〜7ページ

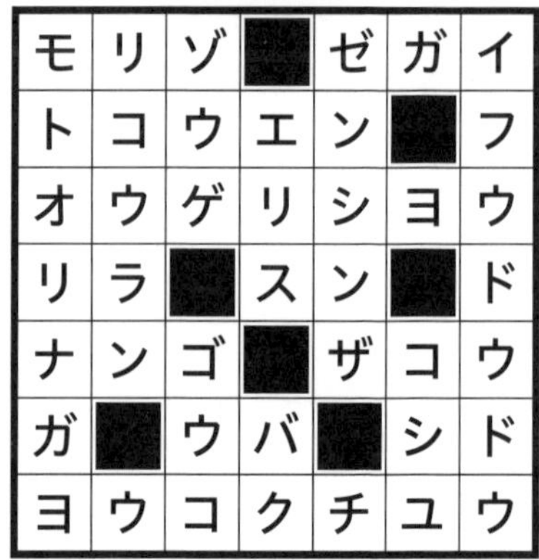

モ	リ	ゾ	■	ゼ	ガ	イ
ト	コ	ウ	エ	ン	■	フ
オ	ウ	ゲ	リ	シ	ヨ	ウ
リ	ラ	■	ス	ン	■	ド
ナ	ン	ゴ	■	ザ	コ	ウ
ガ	■	ウ	バ	■	シ	ド
ヨ	ウ	コ	ク	チ	ユ	ウ

タテ 1：本居長世　2：李香蘭　3：象牙の塔　4：前進座　5：威風堂々　7：エリス　12：江湖会　14：戸主権　16：バク（獏）　**ヨコ** 1：ベルト・モリゾ　4：是界　6：都江堰　8：応化利生　9：リラ　10：寸　11：喃語　13：座高　15：ウバ　17：私度僧　18：楊国忠

第2問

問題 8〜9ページ

セ	ル	シ	ウ	ス	■	ハ
ツ	ー	ル	■	イ	シ	ル
モ	ル	■	ハ	レ	■	バ
ン	■	ミ	ヤ	ン	マ	ー
カ	リ	ユ	シ	■	カ	ス
イ	ク	ラ	■	デ	ル	タ
ジ	ュ	ー	ド	ポ	ー	ム

タテ 1：説文解字　2：ルール（地方）　3：アムダリア川とシルダリア川　4：河童に水練　5：デイヴィッド・ハルバースタム　9：ハヤシライス　10：ヴィルヘルム・ミュラー　11：マカルー　13：六諭　16：デポ　**ヨコ** 1：セルシウス　6：5（ファイブ）ツール・プレーヤー　7：いしる　8：モル（mol）　9：晴れ　10：ミャンマー　12：かりゆし　14：粕（糟）　15：イクラ　16：デルタ関数　17：ジュー（・）ド（・）ポーム

第3問

問題 10〜11ページ

シ	オ	バ	ラ	タ	ス	ケ
ラ	ク	■	ク	イ	ズ	■
カ	ニ	バ	サ	ミ	■	カ
ワ	■	ラ	■	ツ	ボ	ネ
ヨ	ウ	ラ	ク	■	ナ	ラ
フ	■	イ	ル	マ	ン	■
ネ	ブ	カ	ド	ネ	ザ	ル

タテ 1：白川（河）夜船　2：阿国歌舞伎　3：ラクサ　4：台密　5：猫の首に鈴を付ける　9：バラライカ　10：一条兼良（「かねよし」とも）　12：ボナンザグラム　14：クルド人　17：エドゥアール・マネ　**ヨコ** 1：塩原太助　6：酪　7：クイズ番組　8：蟹挟　11：局　13：瓔珞　15：奈良　16：イルマン（伊留満）　18：ネブカドネザル2世

第4問

問題 12〜13ページ

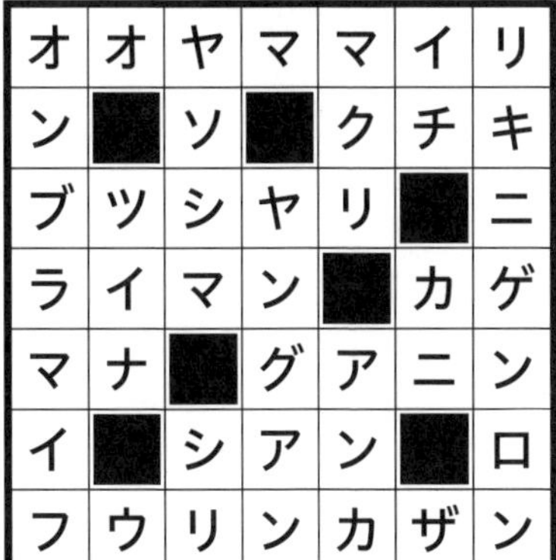

オ	オ	ヤ	マ	マ	イ	リ
ン	■	ソ	■	ク	チ	キ
ブ	ツ	シ	ヤ	リ	■	ニ
ラ	イ	マ	ン	■	カ	ゲ
マ	ナ	■	グ	ア	ニ	ン
イ	■	シ	ア	ン	■	ロ
フ	ウ	リ	ン	カ	ザ	ン

タテ 1：オンブラ(・)マイ(・)フ　2：八十島祭　3：マクリ　4：位置エネルギー　5：理気二元論　8：追儺　9：ヤング案　11：カニ(蟹)　14：案下　15：Siri　**ヨコ** 1：大山詣り　6：朽木座　7：仏舎利　10：ライマン　11：陰に居て枝を折る　12：マナ　13：グアニン　15：シアン　16：風林火山

第5問

問題 14〜15ページ

ア	シ	ズ	リ	ミ	サ	キ
ウ	カ	イ	■	ツ	ガ	ン
グ	ン	ガ	ク	■	ノ	ダ
ス	■	ン	グ	ラ	ラ	イ
ト	ラ	ジ	■	ブ	ン	ゴ
ウ	イ	■	サ	レ	■	シ
ス	カ	ラ	ム	ー	シ	ュ

タテ 1：アウグストゥス　2：陸軍士官学校　3：瑞巌寺　4：口に蜜あり腹に剣あり　5：佐賀の乱　6：近代五種　10：クグ　13：ラブレー　15：ライカ　18：アンクル・サム　**ヨコ** 1：足摺岬　7：鵜飼　8：資治通鑑　9：軍学　11：野田(市)　12：ングラ(・)ライ　14：トラジ　16：豊後(国)　17：有為の奥山　18：マリー・サレ　19：スカラムーシュ

第6問

問題 16〜17ページ

ヒ	ビ	ヤ	コ	ウ	エ	ン
ト	ル	ソ	ー	■	ケ	■
ツ	バ	■	ラ	ハ	イ	ナ
ブ	オ	ウ	■	ク	■	キ
ノ	■	エ	ツ	チ	ヨ	ウ
ム	リ	ー	リ	ヨ	■	サ
ギ	ヨ	ク	■	ウ	コ	ギ

タテ 1：一粒の麦　2：ビルバオ　3：耶蘇教　4：コーラノキ　5：安国寺恵瓊　9：正宗白鳥　10：ナキウサギ　12：ウェーク島　14：釣り　16：呂旋法　**ヨコ** 1：日比谷公園　6：トルソー　7：鍔　8：ラハイナ　11：武王　13：越鳥南枝に巣くう　15：ムリーリョ　17：玉　18：ウコギ

第7問

問題 18〜19ページ

ア	ケ	チ	コ	ゴ	ロ	ウ
イ	ル	イ	■	オ	ウ	カ
シ	ン	キ	ヨ	ウ	■	ブ
ン	■	ヨ	ウ	■	ア	セ
カ	ン	ウ	オ	ン	ド	■
ク	■	テ	ン	■	ニ	コ
ラ	ン	イ	■	バ	ス	ク

タテ 1：愛新覚羅　2：ケルン大聖堂　3：日米地位協定　4：五黄土星　5：犬馬の労　6：身を捨ててこそ浮かぶ瀬もあれ　10：拗音　12：アドニス　16：刻　**ヨコ** 1：明智小五郎　7：異類婚姻譚　8：桜花　9：新京　11：無用の用　12：綸言汗の如し　13：江原道　14：天は自ら助くるものを助く　15：二胡　17：藍衣社　18：バスク地方

第8問

問題 20〜21ページ

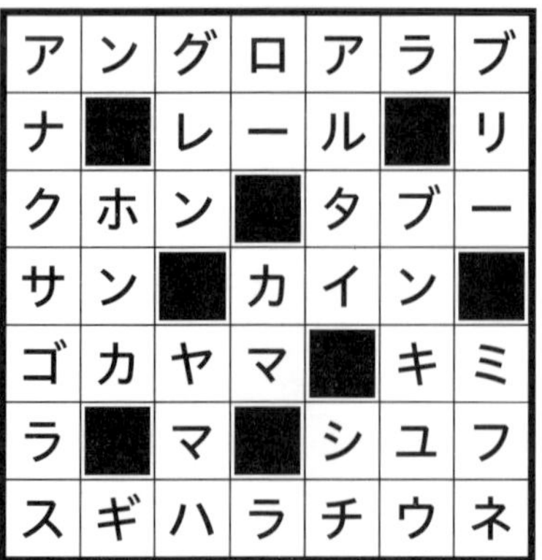

ア	ン	グ	ロ	ア	ラ	ブ
ナ	■	レ	ー	ル	■	リ
ク	ホ	ン	■	タ	ブ	ー
サ	ン	■	カ	イ	ン	■
ゴ	カ	ヤ	マ	■	キ	ミ
ラ	■	マ	■	シ	ユ	フ
ス	ギ	ハ	ラ	チ	ウ	ネ

タテ 1：アナクサゴラス　2：ジョン・グレン　3：ロー・アマ　4：アルタイ諸語　5：ブリー（チーズ）　8：本歌取り　10：文久　12：月夜に釜を抜かれる　14：山葉寅楠　16：三船久蔵　17：質店　**ヨコ** 1：アングロアラブ　6：レールガン　7：九品　9：タブー　11：サン・アントニオ　12：カインの末裔　13：五箇山　15：君死にたまふことなかれ　17：主婦連合会　18：杉原千畝

第9問

問題 22〜23ページ

ハ	ラ	ダ	サ	ノ	ス	ケ
ク	シ	■	サ	ミ	ダ	レ
ギ	ヤ	バ	ン	■	ジ	ン
ヨ	■	ー	■	ポ	イ	■
ク	シ	ナ	ガ	ラ	■	ク
ロ	バ	ー	ト	リ	ツ	チ
ウ	イ	ド	■	ス	キ	ヤ

タテ 1：白玉楼　2：ラシャ（羅紗）　3：ササン朝美術　4：蚤の市　5：スダジイ　6：外連　10：バーナード　12：ポラリス　14：司馬懿　15：ガト　16：クチャ　18：月と六ペンス　**ヨコ** 1：原田左之助　7：身三口四意三　8：五月雨をあつめて早し最上川　9：ジャン・ギャバン　11：ジンテーゼ　12：ポイ　13：クシナガラ　17：ロバート（・）リッチ　19：ウイド（WID）　20：数寄屋

尺貫法の長さ

1里（り）＝約3927m（36町）
1町（ちょう）＝約109m（60間）
1間（けん）＝約1.82m（6尺）
1尺（しゃく）＝約30cm（10寸）
1寸（すん）＝約3cm（10分）
1分（ぶ）＝約3㎜

尺貫法の面積

1町（ちょう）＝約9917㎡（10反）
1反（たん）＝約991.7㎡（10畝）
1畝（せ）＝約99.17㎡（30坪）
1坪（つぼ）＝約3.31㎡（1平方間）

第10問

問題 24〜25ページ

ア	ア	イ	イ	チ	ロ	ウ
メ	ル	セ	ン	ヌ	■	ツ
リ	ス	■	ジ	■	デ	ワ
カ	■	シ	ユ	ジ	ユ	■
ノ	ウ	イ	ン	■	シ	ケ
ヨ	シ	ノ	■	チ	ヤ	イ
ル	■	キ	ス	リ	ン	グ

タテ 1：アメリカの夜　2：アルス・ノヴァ　3：伊勢物語　4：ちょんまげ頭を叩いてみれば、因循姑息の音がする　5：ちぬ　6：水は方円の器に随う　9：デュシャン　10：椎の木林　12：商いは牛の涎　14：敬具　16：チリ　**ヨコ** 1：亜愛一郎　7：メルセンヌ　8：リス　9：出羽三山　10：侏儒の言葉　11：能因　13：しけ　15：吉野朝　16：チャイ　17：キスリング

第11問

問題 26～27ページ

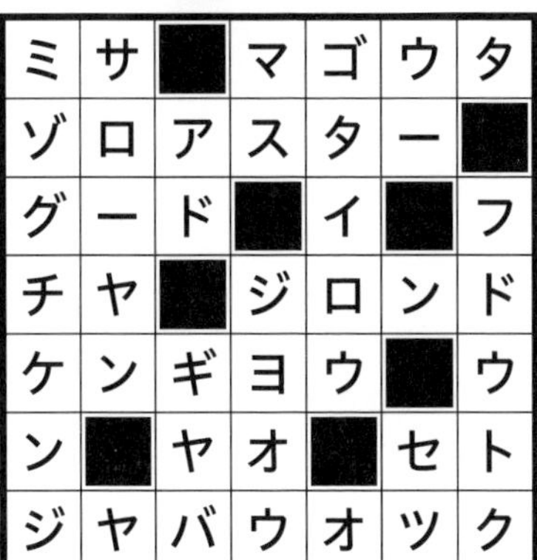

ミ	サ	■	マ	ゴ	ウ	タ
ゾ	ロ	ア	ス	タ	ー	■
グ	ー	ド	■	イ	■	フ
チ	ヤ	■	ジ	ロ	ン	ド
ケ	ン	ギ	ヨ	ウ	■	ウ
ン	■	ヤ	オ	■	セ	ト
ジ	ヤ	バ	ウ	オ	ツ	ク

タテ 1：溝口健二　2：サローヤン　3：鱒　4：五大老　5：ジョン・ウー　7：アド　9：不道徳教育講座　11：女王　13：GABA　15：拙
ヨコ 1：ミサ　3：馬子唄　6：ゾロアスター教　8：グード図法　10：茶の本　11：ジロンド派　12：八橋検校　14：八尾　15：音戸の瀬戸　16：ジャバウォック

第12問

問題 28～29ページ

プ	ツ	ト	■	ホ	ア	ン
ロ	■	サ	カ	ヤ	キ	■
テ	ア	ニ	ン	■	シ	ギ
ス	ラ	■	ト	ガ	ノ	オ
タ	キ	ト	ウ	ス	■	ン
ン	■	カ	グ	■	ジ	ボ
ト	ウ	ゲ	ン	キ	ヨ	ウ

タテ 1：プロテスタント　2：土佐煮　3：ホヤ　4：秋篠　6：関東軍　8：荒木又右衛門　10：祇園坊　13：ガス燈　15：黒蜥蜴　17：序破急
ヨコ 1：プット　3：保安条令　5：さかやき　7：テアニン　9：シギ　11：スラ　12：栂尾　14：タキトゥス　16：上知と下愚とは移らず　17：字母　18：桃源郷

コラムその②

世界の高い山ベスト5

1位：エベレスト(8848m)
2位：K2(8611m)
3位：カンチェンジュンガ(8586m)
4位：ローツェ(8516m)
5位：マカルー(8463m)

世界の広い湖ベスト5

1位：カスピ海(374000㎢)
2位：スペリオル湖(82367㎢)
3位：ビクトリア湖(68800㎢)
4位：アラル海(64100㎢)
5位：ヒューロン湖(59570㎢)

第13問

問題 30～31ページ

ア	ン	テ	イ	オ	キ	ア
オ	■	レ	■	サ	ル	オ
ザ	メ	ン	ホ	フ	■	ノ
メ	ゾ	■	ム	ネ	カ	ド
タ	ン	ト	ラ	■	グ	ウ
ウ	カ	ミ	■	シ	ヤ	モ
マ	レ	ー	ゲ	ル	マ	ン

タテ 1：蒼ざめた馬　2：手練　3：備前長船　4：キル・ビル　5：青の洞門　8：メゾン(・)カレ　9：炎立つ　12：天(の)香具山　14：トミーズ・バンカー　17：汁物　**ヨコ** 1：アンティオキア　6：猿尾　7：ザメンホフ　10：メゾソプラノ　11：むねかど　13：タントラ　15：ぐうの音も出ない　16：うかみ　17：軍鶏鍋　18：マレー(・)ゲルマン

第14問

問題 32～33ページ

テ	イ	カ	■	エ	ト	ナ
イ	■	イ	ア	ン	■	ツ
ツ	ウ	シ	ン	■	メ	ソ
イ	グ	■	ト	ル	ド	ー
ア	イ	オ	ワ	■	ウ	■
ー	■	キ	ー	ノ	ー	ト
ノ	サ	ツ	プ	ミ	サ	キ

タテ 1：ティツィアーノ　2：会試　3：燕　4：ナッソー　6：アントワープ　8：ウグイ　9：メドゥーサ　13：興津　15：蚤の夫婦　16：土岐氏　ヨコ 1：藤原定家　3：エトナ(火山)　5：イアン・フレミング　7：東京通信工業　9：メソアメリカ　10：イグ・ノーベル賞　11：トルドー　12：アイオワ州　14：キーノート　17：納沙布岬

第15問

問題 34～35ページ

ス	ト	ア	■	ク	ワ	イ
イ	■	イ	ア	イ	ジ	■
シ	ヤ	コ	タ	ン	■	ペ
ノ	リ	ク	ラ	■	タ	ル
ヒ	ツ	■	ク	ア	ツ	ガ
ヨ	■	マ	シ	ラ	■	モ
ウ	イ	リ	ア	ム	ペ	ン

タテ 1：出師(の)表　2：愛国公党　3：アンソニー・クイン　4：ワジ　6：アタラクシア　8：耶律阿保機　9：ペルガモン　11：辰　14：アラム文字　15：鞠と殿様　ヨコ 1：ストア派　3：クワイ河マーチ　5：遺愛寺　7：積丹半島　10：乗鞍火山帯　11：足るを知る者は富む　12：筆　13：クアッガ　15：ましら　16：ウィリアム(・)ペン

第16問

問題 36～37ページ

キ	カ	イ	■	レ	ジ	エ
ヨ	■	ヨ	ハ	ネ	■	ー
コ	イ	ネ	ー	■	ク	コ
ク	■	ス	ト	ロ	ー	■
イ	タ	コ	■	リ	ル	ケ
ツ	ガ	■	サ	ー	ベ	ル
チ	ネ	チ	ツ	タ	■	ト

タテ 1：挙国一致内閣　2：イヨネスコ　3：アラン・レネ　4：ウンベルト・エーコ　6：ゲイリー・ハート　8：クールベ　10：ロリータ　12：タガネ　14：ケルト民族　16：藩札　ヨコ 1：機械　3：レジェ　5：ヨハネ　7：コイネー　8：クコ　9：ストロー現象　11：イタコ　13：リルケ　15：ツガ　16：サーベル・タイガー　17：チネチッタ

第17問

問題 38～39ページ

ホ	シ	ヅ	キ	ヨ	■	シ
ウ	ン	■	ク	セ	ジ	ュ
ノ	ブ	コ	■	モ	■	メ
セ	ン	ト	レ	ジ	ヤ	ー
イ	■	ウ	キ	■	ブ	ル
シ	リ	ヤ	ザ	キ	■	ジ
ン	■	キ	ン	シ	ヘ	ン

タテ 1：法の精神　2：新聞王　3：十日の菊　4：寄席文字　5：シュメール人　9：湖東焼　11：歴山　12：養父(市)　16：岸清一　ヨコ 1：星月夜　6：吽　7：クセジュ(Que sais-je?)　8：伸子　10：セント・レジャー・ステークス　13：雨期　14：ブル　15：尻屋崎　17：金枝篇

第18問

問題 40〜41ページ

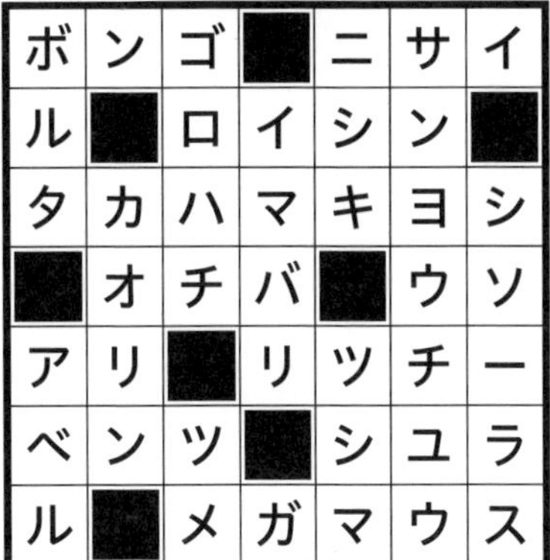

ボ	ン	ゴ	■	ニ	サ	イ
ル	■	ロ	イ	シ	ン	■
タ	カ	ハ	マ	キ	ヨ	シ
■	オ	チ	バ	■	ウ	ソ
ア	リ	■	リ	ツ	チ	ー
ベ	ン	ツ	■	シ	ュ	ラ
ル	■	メ	ガ	マ	ウ	ス

タテ 1：ボルタ　2：五郎八茶碗　3：新見錦　4：三葉虫　6：今治(市)　8：カオリン　9：シソーラス　12：アベル　14：対馬　16：爪に火をともす　**ヨコ** 1：ボンゴ　3：私は二歳　5：ロイシン　7：高浜虚子　10：濡れ落ち葉族　11：ウソ　12：蟻の一穴　13：リッチー・ブラックモア　15：ベンツ　17：修羅場　18：メガマウス

第19問

問題 42〜43ページ

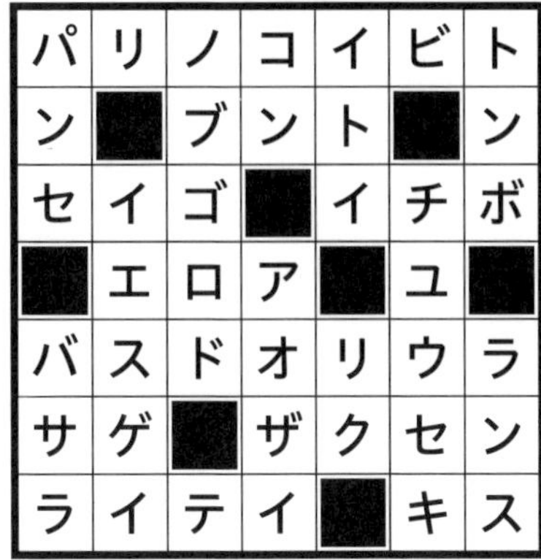

パ	リ	ノ	コ	イ	ビ	ト
ン	■	ブ	ン	ト	■	ン
セ	イ	ゴ	■	イ	チ	ボ
■	エ	ロ	ア	■	ユ	■
バ	ス	ド	オ	リ	ウ	ラ
サ	ゲ	■	ザ	ク	セ	ン
ラ	イ	テ	イ	■	キ	ス

タテ 1：パンセ　2：ノブゴロド　3：坤　4：糸魚川静岡構造線　5：トンボ　8：イェスゲイ　10：沖積世　12：アオザイ　13：婆娑羅(大名)　14：離垢　15：ランス　**ヨコ** 1：パリの恋人　6：ブント　7：セイゴ　9：イチボ　11：エロア資金　13：バス通り裏　16：サゲ　17：ザクセン(州)　18：雷帝　19：蜘蛛女のキス

コラムその③

仏教の十悪とは？

殺生、偸盗、邪淫(身の三悪＝体で起こす)、妄語、綺語、悪口、両舌(口の四悪＝口で起こす)、貪欲、瞋恚、邪見(意の三悪＝心が起こす)の十種の罪悪。

仏教の四大聖地とは？

以下の釈尊ゆかりの地のこと。

・ルンビニー(誕生の地)
・ブッダガヤ(悟りを開いた地)
・サールナート(初の説法の地)
・クシナガラ(亡くなった地)

第20問

問題 44〜45ページ

カ	タ	ク	チ	イ	ワ	シ
エ	■	セ	■	ツ	ジ	■
デ	ミ	ン	グ	シ	ヨ	ウ
■	カ	ハ	ラ	■	ウ	サ
カ	タ	ツ	ム	リ	■	ギ
カ	■	カ	シ	ン	フ	ウ
シ	ア	イ	■	パ	ナ	マ

タテ 1：カエデ(楓)　2：九山八海　3：一糸一毫　4：和上(尚)　7：三方ヶ原の戦い　8：グラムシ　9：兎馬　12：かかし(案山子)　13：琳派　15：釣りは鮒に始まり鮒に終わる　**ヨコ** 1：カタクチイワシ　5：功名が辻　6：デミング賞　10：カハラ地区　11：宇佐神宮　12：カタツムリ　14：二十四番花信風　16：四愛　17：パナマ運河

第21問

問題 46～47ページ

レ	ツ	プ	■	フ	ダ	イ
ー	■	リ	セ	イ	ミ	ン
ル	ノ	ー	ト	ル	■	カ
モ	ー	ス	■	ド	ー	ム
ン	■	ト	コ	ウ	■	ゲ
ト	ネ	リ	■	シ	キ	イ
フ	リ	ー	メ	ー	ソ	ン

タテ 1：レールモントフ　2：プリーストリー　3：フィルドゥシー　4：濃絵　5：インカム(・)ゲイン　7：瀬戸物、瀬戸市　9：ノー・コンテスト　14：ネリ　16：木曽馬　**ヨコ** 1：メディア・レップ、セールス・レップ　3：譜代大名　6：李世民　8：ル(・)ノートル　10：モース　11：岩のドーム　12：杜康　13：舎人　15：敷居が高い　17：フリーメーソン

第22問

問題 48～49ページ

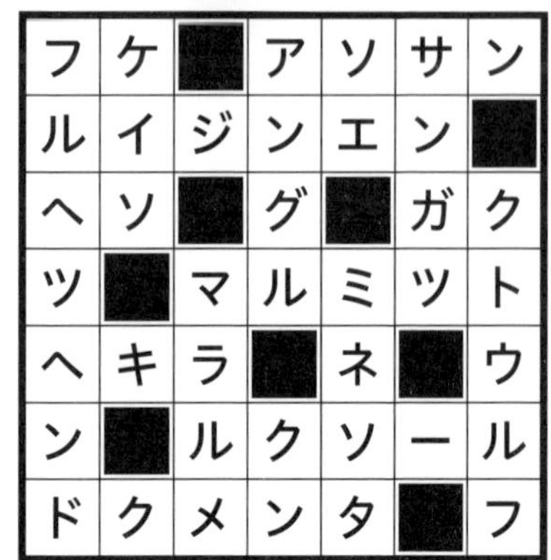

フ	ケ	■	ア	ソ	サ	ン
ル	イ	ジ	ン	エ	ン	■
ヘ	ソ	■	グ	■	ガ	ク
ツ	■	マ	ル	ミ	ツ	ト
ヘ	キ	ラ	■	ネ	■	ウ
ン	■	ル	ク	ソ	ー	ル
ド	ク	メ	ン	タ	■	フ

タテ 1：フルヘッヘンド　2：ケイ素　3：アングル　4：ソエ　5：三月革命　9：クトゥルー神話　10：マラルメ　11：ミネソタ(州)　14：菫　**ヨコ** 1：普化宗　3：阿蘇山　6：類人猿　7：日本のへそ　8：少年老い易く、学成り難し　10：マルミット　12：碧羅の天　13：ルクソール　15：ドクメンタ

コラムその④

東海道五十三次

品川、川崎、神奈川、保土ヶ谷、戸塚、藤沢、平塚、大磯、小田原、箱根、三島、沼津、原、吉原、蒲原(かんばら)、由比(ゆい)、興津(おきつ)、江尻、府中、鞠子(まりこ)、岡部、藤枝、島田、金谷、日坂(にっさか)、掛川、袋井、見付、浜松、舞坂、新居、白須賀、二川(ふたがわ)、吉田、御油(ごゆ)、赤坂、藤川、岡崎、池鯉鮒(ちりゅう)、鳴海、宮、桑名、四日市、石薬師(いしやくし)、庄野、亀山、関、坂下、土山、水口(みなくち)、石部、草津、大津。

第23問

問題 50～51ページ

ナ	ン	シ	ヨ	ウ	■	ペ
グ	■	デ	■	ス	ロ	ン
モ	ダ	ン	タ	イ	ム	ス
■	ゴ	イ	タ	■	ル	■
イ	ン	ツ	ー	リ	ス	ト
チ	■	セ	ル	ン	■	ニ
ロ	ヘ	ン	■	ゴ	ド	ー

タテ 1：南雲忠一　2：紫電一閃　3：碓氷の関　4：ペンス　6：ロムルス　8：ダゴン　9：タタール海峡　11：一路平安　12：リンゴ(林檎)　13：トニー賞　**ヨコ** 1：南昌(市)　5：数論学派　7：モダン(・)タイムス　10：ごいた　11：インツーリスト　14：CERN　15：炉辺談話　16：ゴドーを待ちながら

第24問

問題 52～53ページ

プ	リ	マ	ス	ロ	ツ	ク
ラ	ン	■	ケ	ボ	リ	■
ド	ド	イ	ツ	■	ワ	シ
■	グ	ン	チ	ク	■	エ
マ	レ	■	ブ	ン	エ	イ
ク	ー	リ	ツ	ジ	■	エ
ロ	ン	ボ	ク	■	ウ	ス

タテ 1：プラド美術館　2：リンドグレーン　3：スケッチ(・)ブック　4：狼王ロボ　5：つり輪　9：韻文　11：シエイエス　13：訓示規定　14：マクロ経済学　17：リボ払い　**ヨコ** 1：プリマス(・)ロック　6：ラン(蘭)　7：毛彫(り)　8：都々逸　10：和紙　12：郡築　14：マレ　15：文永・弘安の役　16：クーリッジ　18：ロンボク島　19：有珠山

第25問

問題 54～55ページ

ア	カ	ゾ	メ	エ	モ	ン
マ	■	ル	テ	イ	ン	■
ノ	ビ	レ	■	ボ	ク	ジ
ウ	リ	ン	イ	ン	■	ズ
キ	ー	■	カ	■	オ	ヤ
ハ	■	タ	ナ	ト	ス	■
シ	ユ	ウ	ゴ	ウ	ロ	ン

タテ 1：天(の)浮橋　2：ゾルレン　3：めて(馬手)　4：ストラトフォード・アポン・エイボン　5：セロニアス・モンク　8：ビリー・ザ・キッド　10：ジズヤ　12：イカナゴ　14：オスロ　15：タウ(T.τ)　16：頭中将　**ヨコ** 1：赤染衛門　6：ルテイン　7：ノビレ　9：卜辞　11：雲林院　13：キーストーン　14：親の意見と冷や酒は後で効く　15：タナトス　17：集合論

コラムその⑤

インド六派哲学とは？

インドで最も正統的とされてきた哲学で、現代では以下の六派の総称とされる。

- ミーマーンサー学派(祭祀研究)
- ヴェーダーンタ学派(奥義研究、インド哲学最有力学派)
- サーンキヤ学派(精神的・物質的原理の二元論、数論学)
- ヨーガ学派(身心で解脱)
- ニヤーヤ学派(論理学、正理学)
- ヴァイシェーシカ学派(勝論学)

第26問

問題 56～57ページ

ロ	イ	ズ	■	シ	リ	ア
ー	■	サ	ラ	フ	ア	ン
ル	ベ	ン	■	オ	■	セ
シ	リ	■	ハ	ン	カ	イ
ヤ	ー	コ	ン	■	ニ	ジ
ツ	■	ガ	ベ	イ	■	シ
ハ	コ	ネ	エ	キ	デ	ン

タテ 1：ロールシャッハ　2：杜撰　3：シフォン　4：リア王　5：安政地震　8：チャック・ベリー　10：竹中半兵衛　11：かに星雲　13：黄金千貫　16：壱岐(島)　**ヨコ** 1：ロイズ　3：シリア(・アラブ共和国)　6：サラファン　7：ルベン　9：尻に火が付く　10：樊噲　12：ヤーコン　14：重力の虹　15：画餅に帰す　17：箱根駅伝

第27問

問題 58～59ページ

サ	カ	イ	ト	シ	ヒ	コ
ラ	ビ	■	ク	リ	ミ	ア
シ	■	イ	ナ	■	コ	セ
ナ	カ	ツ	ガ	ワ	■	ル
ニ	ブ	ヒ	■	タ	カ	ベ
ツ	ラ	■	フ	イ	ジ	ー
キ	ヤ	ピ	ユ	レ	ツ	ト

タテ 1：更級日記　2：黴　3：徳永直　4：頭隠して尻隠さず　5：卑弥呼　6：コアセルベート　9：イッヒ・ロマン　12：鏑矢　13：綿入れ　16：果実　18：核の冬　ヨコ 1：堺利彦　7：ラビ　8：クリミア戦争　9：イナ　10：巨勢派　11：中津川(市)　14：ニブヒ　15：タカベ　17：連相撲　18：フィジー(共和国)　19：キャピュレット(家)

第28問

問題 60～61ページ

ア	ー	ビ	ト	ラ	ー	ジ
ト	■	サ	ウ	ス	■	ン
カ	ネ	ウ	リ	キ	チ	ジ
ク	ツ	■	テ	■	エ	ツ
シ	ジ	ユ	ン	セ	ツ	■
■	ヨ	シ	■	イ	カ	オ
パ	ウ	ン	ド	ケ	ー	キ

タテ 1：あとかくしの雪　2：ギニアビサウ共和国　3：忉利天　4：ハロルド・ラスキ　5：人日の節句　8：熱情　9：チェッカー　13：庾信　14：清家清　17：沖にも付かず磯にも離る　ヨコ 1：アービトラージ　6：サウス・カロライナ州　7：金売吉次　10：瓜田に履を納れず、李下に冠を正さず　11：越　12：四旬節　15：ヨシ(よし)　16：ICAO　18：パウンド(・)ケーキ

第29問

問題 62～63ページ

ホ	ワ	イ	ト	ヘ	ツ	ド
ウ	ニ	■	ガ	ム	■	ウ
カ	■	ス	キ	■	ウ	ゴ
イ	ワ	レ	■	ミ	チ	オ
リ	ビ	ン	グ	ス	ト	ン
ン	■	ド	レ	イ	■	セ
キ	イ	ロ	イ	リ	ボ	ン

タテ 1：法界悋気　2：王仁　3：ト書き　4：ヘム　5：道後温泉　8：スレンドロ　9：内外の宮　11：わび(侘)とさび(寂)　12：御簾入り　14：ドリアン・グレイの肖像　ヨコ 1：ホワイトヘッド　6：ウニ　7：ガム　8：主基(殿)　9：羽後(国)　10：磐余　12：まど・みちお　13：リビングストン　15：奴隷王朝　16：黄色いリボン

第30問

問題 64～65ページ

イ	ケ	ヤ	■	シ	ズ	エ
リ	■	マ	ジ	ヤ	ー	ル
エ	カ	ダ	ン	ピ	■	ミ
タ	ラ	■	シ	ロ	シ	タ
イ	ザ	カ	ヤ	■	ク	ー
キ	■	ー	■	マ	ン	ジ
チ	ヤ	ル	ダ	ツ	シ	ユ

タテ 1：入江泰吉　2：山田奉行　3：シャピロ　4：聖なるズー　5：エルミタージュ(美術館)　7：知者は水を楽しみ、仁者は山を楽しむ　9：カラザ　12：四君子　14：カール大帝　16：松　ヨコ 1：池谷・関彗星　3：しずえ　6：マジャール人　8：慧可断臂　10：タラ(鱈)　11：城下かれい　13：居酒屋　15：クー・クラックス・クラン　16：卍　17：チャルダッシュ

第31問

問題 66～67ページ

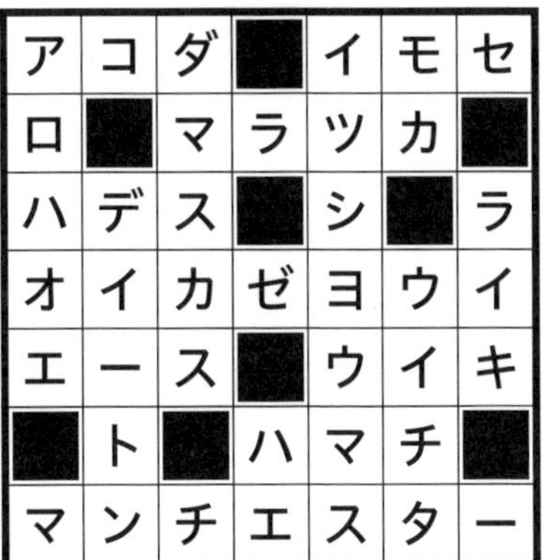

ア	コ	ダ	■	イ	モ	セ
ロ	■	マ	ラ	ツ	カ	■
ハ	デ	ス	■	シ	■	ラ
オ	イ	カ	ゼ	ヨ	ウ	イ
エ	ー	ス	■	ウ	イ	キ
■	ト	■	ハ	マ	チ	■
マ	ン	チ	エ	ス	タ	ー

タテ 1：アロハ(・)オエ　2：ダマスカス　3：一升枡　4：モカ　7：ディートン　8：礼記　10：ウィチタ族　13：はえ　**ヨコ** 1：阿古陀形　3：妹背山　5：マラッカ海峡　6：ハデス　9：追風用意　11：エース　12：ウィキ(wiki)　13：ハマチ　14：マンチェスター

第32問

問題 68～69ページ

チ	リ	ツ	ボ	■	セ	ブ
カ	■	ク	ン	リ	ン	■
ラ	ク	ダ	■	ゲ	イ	ザ
ヘ	ラ	■	ネ	ル	ソ	ン
ノ	イ	チ	ゴ	■	ウ	ジ
イ	■	タ	ン	ゴ	■	バ
シ	モ	ン	ボ	リ	バ	ル

タテ 1：力への意志　2：佃島　3：ボン　4：遷移層　6：リゲル　8：ウォークライ　10：ザンジバル　12：ネゴンボ　14：チタン　17：五里霧中　**ヨコ** 1：塵壺　4：セブ島　5：国王は君臨すれども統治せず　7：金持ちが天国に行くのは、ラクダが針の穴を通るより難しい　9：猊座　11：ヘラ　12：ネルソン　13：野いちご　15：宇治　16：タンゴ　18：シモン(・)ボリバル

コラムその⑥

花札に描かれた月ごとの絵柄

1月(睦月)：松に鶴、2月(如月)：梅に鶯、3月(弥生)：桜に幕、4月(卯月)：藤に不如帰、5月(皐月)：菖蒲に八橋、6月(水無月)：牡丹に蝶、7月(文月)：萩に猪、8月(葉月)：芒に月・雁、9月(長月)：菊に盃、10月(神無月)：紅葉に鹿、11月(霜月)：柳に小野道風、12月(師走)：桐に鳳凰

第33問

問題 70～71ページ

テ	イ	コ	ウ	シ	ン	カ
イ	■	ゴ	オ	ン	■	ン
ア	コ	ウ	■	シ	メ	イ
■	ウ	■	ア	ナ	イ	チ
ナ	ギ	サ	ニ	テ	■	オ
イ	ヨ	■	ヨ	イ	ヤ	ミ
セ	ク	タ	ー	■	マ	ヤ

タテ 1：テイア　2：小督　3：魚は江湖に相忘る　4：シンシナティ　5：貫一お宮　8：皇極天皇　10：ブライアン・メイ　11：アニョー　12：ナイセ川　15：山　**ヨコ** 1：定向進化　6：御恩と奉公　7：阿衡の紛議　9：シメイ　11：あないち　12：渚にて　13：伊予砥(石)　14：宵闇　16：セクター主義　17：摩耶夫人

第34問

問題 72〜73ページ

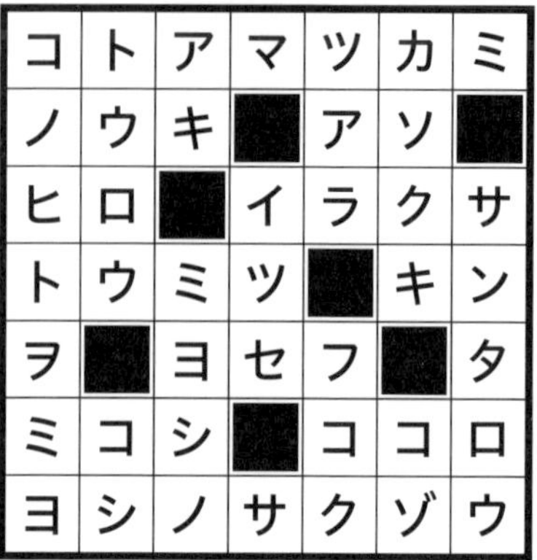

コ	ト	ア	マ	ツ	カ	ミ
ノ	ウ	キ	■	ア	ソ	■
ヒ	ロ	■	イ	ラ	ク	サ
ト	ウ	ミ	ツ	■	キ	ン
ヲ	■	ヨ	セ	フ	■	タ
ミ	コ	シ	■	コ	コ	ロ
ヨ	シ	ノ	サ	ク	ゾ	ウ

タテ 1：この人を見よ　2：蟷螂の斧　3：安芸(国、市)　4：トリスタン・ツァラ　5：加速器　9：一世　10：三太郎の日記　12：みよしの　15：富国強兵　17：虎視眈々　19：去年今年　**ヨコ** 1：別天津神　6：能記　7：阿蘇山　8：ヒロ　9：イラクサ　11：東密　13：沈黙は金　14：ヨセフ　16：神輿草　18：こころ　20：吉野作造

第35問

問題 74〜75ページ

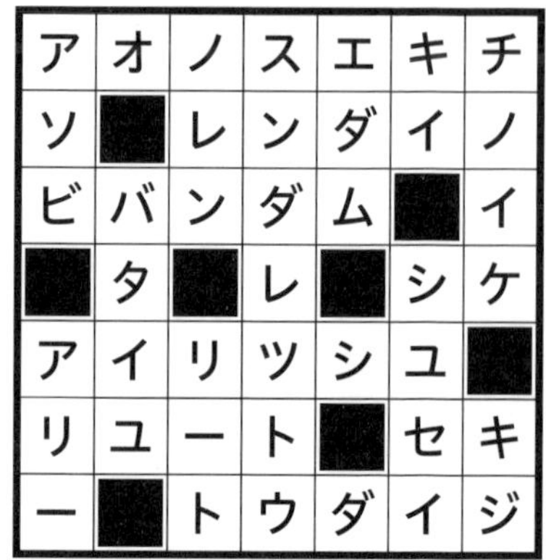

ア	オ	ノ	ス	エ	キ	チ
ソ	■	レ	ン	ダ	イ	ノ
ビ	バ	ン	ダ	ム	■	イ
■	タ	■	レ	■	シ	ケ
ア	イ	リ	ツ	シ	ユ	■
リ	ユ	ー	ト	■	セ	キ
ー	■	ト	ウ	ダ	イ	ジ

タテ 1：遊びをせんとや生まれけむ　2：のれん(暖簾)　3：スンダ列島　4：エダム(チーズ)　5：紀伊(国)　6：血の池地獄　9：ジョルジュ・バタイユ　10：創業は易く守成は難し　11：アリー　12：リート　15：キジ　**ヨコ** 1：青野季吉　7：蓮台野　8：ビバンダム　10：時化　11：ビリー・アイリッシュ　13：リュート　14：関の五本松　16：東大寺

三管・四職とは？

室町幕府の重職に任命される家。管領：斯波家、細川家、畠山家(三管)。侍所所司：赤松家、一色家、山名家、京極家(四職)。

世阿弥の九位

世阿弥が分類した九つの能の芸格の分類。

上三位：妙花(みょうか)風、寵深花(ちょうしんか)風、閑花(かんか)風。中三位：正花(しょうか)風、広(こう)精(しょう)風、浅文(せんもん)風。下三位：強細(ごうさい)風、強麁(ごうそ)風、麁鉛(そえん)風。

第36問

問題 76〜77ページ

イ	ク	チ	オ	ス	テ	ガ
ケ	■	ラ	■	ト	ル	ク
ダ	ハ	シ	ユ	ー	ル	■
テ	グ	■	タ	ン	■	リ
ル	ロ	ウ	■	ヘ	シ	コ
マ	■	ラ	セ	ン	■	ピ
サ	ン	ガ	ツ	ジ	ケ	ン

タテ 1：池田輝政　2：散らし書き　3：ストーンヘンジ　4：テルル　5：がく(萼)　8：羽黒山　9：ユタ(州)　12：リコピン　14：浦賀　17：拙　**ヨコ** 1：イクチオステガ　6：トルク　7：ダハシュール　10：大郎(テグ)　11：タン　13：流浪の民　15：へしこ　16：二重らせん構造　18：三月事件

第37問

問題 78～79ページ

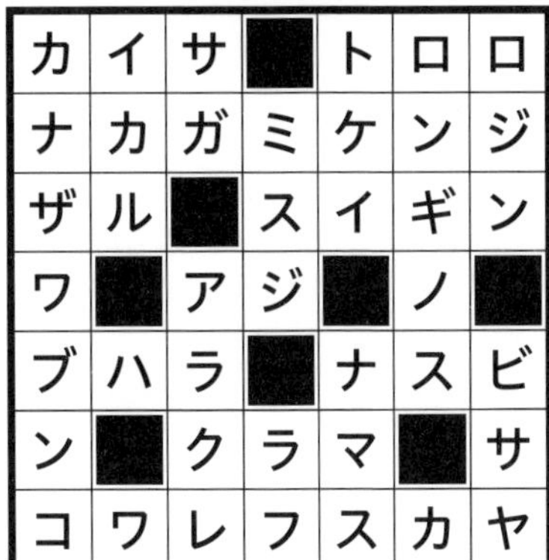

カ	イ	サ	■	ト	ロ	ロ
ナ	カ	ガ	ミ	ケ	ン	ジ
ザ	ル	■	ス	イ	ギ	ン
ワ	■	ア	ジ	■	ノ	■
ブ	ハ	ラ	■	ナ	ス	ビ
ン	■	ク	ラ	マ	■	サ
コ	ワ	レ	フ	ス	カ	ヤ

タテ 1：金沢文庫　2：イカル（ガ）　3：サガ　4：柔らかい時計　5：ロンギノス　6：魯迅　8：ミスジチョウ　11：あらくれ　13：羹に懲りて膾を吹く　14：ビサヤ諸島　16：ラフ　**ヨコ** 1：階差　4：とろろ　7：中上健次　9：ざる（笊）　10：水銀　11：縁は異なもの味なもの　12：ブハラ・ハン国　13：瓜の蔓に茄子はならぬ　15：鞍馬寺　17：コワレフスカヤ

第38問

問題 80～81ページ

ア	パ	ト	サ	ウ	ル	ス
シ	■	マ	ン	タ	■	ト
ユ	ス	リ	カ	■	ハ	ク
ケ	イ	■	イ	イ	タ	テ
ナ	ホ	ト	カ	■	ジ	ン
ジ	■	ポ	ン	ジ	ユ	ノ
ム	ー	ス	■	コ	ク	ウ

タテ 1：アシュケナジム　2：泊（村）　3：山海関　4：歌は世につれ世は歌につれ　5：崇徳天皇　8：酔歩　9：畑宿　13：トポス　16：自己愛　**ヨコ** 1：アパトサウルス　6：マンタ　7：ユスリカ　9：公・侯・伯・子・男（爵）　10：ジョン・ケイ　11：言い立て　12：ナホトカ　14：ジン　15：ポン（・）ジュノ　17：ムース　18：穀雨

第39問

問題 82～83ページ

ア	カ	イ	ロ	ウ	ソ	ク
ス	ネ	■	セ	■	ウ	リ
ク	■	ラ	ン	ド	セ	ル
レ	ベ	ツ	カ	■	イ	■
ピ	ア	フ	■	ダ	キ	ア
オ	■	ル	ノ	ー	■	ヌ
ス	エ	ズ	■	ト	ロ	イ

タテ 1：アスクレピオス　2：金の草鞋で尋ねる　3：路線価　4：創世記　5：クリル列島　8：ラッフルズ　10：ベア　12：ダートコース　13：アヌイ　**ヨコ** 1：赤い蝋燭と人魚　6：脛に傷持つ　7：瓜に爪あり、爪に爪なし　8：ランドセル　9：レベッカ　11：エディット・ピアフ　12：ダキア　14：ルノー　15：スエズ戦争　16：トロイ（オンス）

第40問

問題 84～85ページ

カ	イ	シ	ス	イ	■	リ
ワ	■	ヤ	サ	カ	ド	リ
グ	ア	ム	■	イ	■	エ
チ	イ	■	ゴ	エ	モ	ン
エ	ク	イ	テ	イ	■	タ
カ	■	ナ	ン	■	サ	ー
イ	ヌ	カ	イ	タ	ケ	ル

タテ 1：河口慧海　2：ペルシャとシャム　3：すさ　4：威海衛　5：リリエンタール　8：ファン・アイク兄弟　10：御殿（典）医　12：田舎の学問より京の昼寝　14：鮭　**ヨコ** 1：介子推　6：八尺鳥　7：グアム　9：地衣類　10：石川五右衛門　11：エクイティ　13：ナン　14：サー　15：犬養健

第41問

問題 86～87ページ

ア	マ	ツ	ク	ニ	■	ア
リ	ー	ル	■	ガ	レ	ー
マ	フ	イ	ア	■	パ	ル
ハ	イ	■	ダ	テ	ン	シ
ル	ー	シ	ー	■	ト	ー
ノ	■	タ	ジ	ミ	■	エ
ブ	ル	ジ	ヨ	ア	ジ	ー

タテ 1：有馬晴信　2：マーフィーの法則　3：鶴居(村)　4：二河白道　5：RCA　8：レパント　10：アダージョ　15：下地　18：ミア・ファロー　**ヨコ** 1：天津国　6：ルージェ・ド・リール　7：ガレー(船)　9：マフィア　11：PAL　12：拝　13：堕天使　14：ルーシー　16：トー　17：多治見焼　19：ブルジョアジー

第42問

問題 88～89ページ

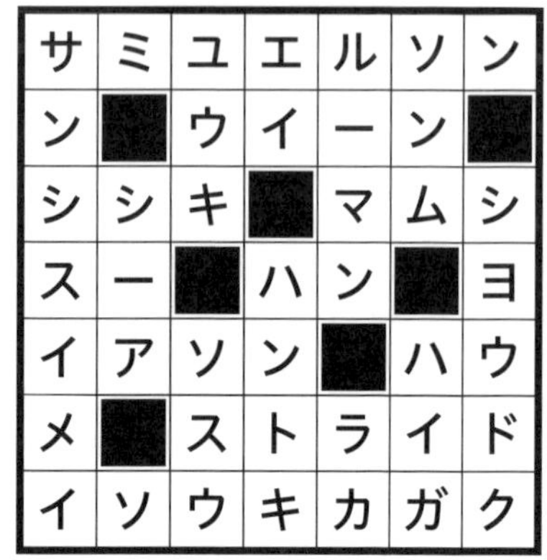

サ	ミ	ユ	エ	ル	ソ	ン
ン	■	ウ	イ	ー	ン	■
シ	シ	キ	■	マ	ム	シ
ス	ー	■	ハ	ン	■	ヨ
イ	ア	ソ	ン	■	ハ	ウ
メ	■	ス	ト	ラ	イ	ド
イ	ソ	ウ	キ	カ	ガ	ク

タテ 1：山紫水明　2：結城(市)　3：エイ類　4：ルーマン　5：ソンム　8：シーア派　10：消毒の父　12：半刻　14：素数　15：胚芽米　17：裸花　**ヨコ** 1：サミュエルソン　6：ウィーン会議　7：四職　9：まむし(蝮)　11：スー　12：藩　13：イアソン　15：エリアス・ハウ　16：ストライド走法　18：位相幾何学

コラムその⑧

六信五行とは?

イスラム教徒(ムスリム)が信ずるべき六つの信条と、実行するべき五つの義務。

六信：神(アッラー)、天使、啓典(コーラン)、預言者、来世、天命。

五行：信仰告白、礼拝(1日5回)、喜捨(収入の一部を貧しい人に分け与える)、断食(ラマダン月の日中)、巡礼(可能なら一生に一度でも)。

第43問

問題 90～91ページ

メ	ン	ペ	キ	ク	ネ	ン
イ	■	ス	ア	レ	ス	■
ボ	ス	ト	ン	■	ト	ミ
ウ	ト	■	モ	ー	リ	ス
コ	ー	ヘ	ン	■	ウ	ズ
ウ	■	グ	■	ア	ス	カ
シ	ヤ	リ	ー	ア	■	ル

タテ 1：明眸皓歯　2：ペスト　3：徽安門　4：呉(市)　5：ネストリウス派　8：ストー(夫人)　10：みすずかる　14：平群(郡、町)　16：ああ　**ヨコ** 1：面壁九年　6：スアレス　7：ボストン茶会事件　9：諸国民の富　11：烏兎　12：モーリス　13：コーヘン　15：カルマン渦　16：飛鳥時代　17：シャリーア

第44問

問題 92～93ページ

テ	ン	ロ	レ	キ	テ	イ
ラ	■	ウ	ツ	ボ	■	ク
ダ	イ	ガ	ク	■	ポ	チ
ト	モ	■	ス	キ	ピ	オ
ラ	ン	ケ	■	タ	ー	ル
ヒ	■	ソ	ド	マ	■	ニ
コ	モ	ン	ウ	エ	ル	ス

タテ 1：寺田寅彦　2：弄瓦　3：ティラノサウルス・レックス　4：規模の経済性、規模効果　5：イクチオルニス　8：倚門之望　9：ポピー　12：北前船　14：ケソン　17：銅　**ヨコ** 1：天路歴程　6：靭猿　7：大学　9：ポチ　10：トモ　11：スキピオ　13：ランケ　15：タール砂漠　16：ソドマ　18：コモンウェルス

コラムその⑨

年齢の別称および お祝いの歳(数え年)

孩提(2～3歳)、辻髪(10歳くらい)、志学(15歳)、弱冠(20歳)、而立・立年(30歳)、不惑(40歳)、桑年(48歳)、知命・天命(50歳)、耳順(60歳)、還暦(61歳)、古希(70歳)、喜寿(77歳)、傘寿(80歳)、半寿(81歳)、米寿(88歳)、卒寿(90歳)、白寿(99歳)、紀寿(100歳)、茶寿(108歳)、皇寿・川寿(111歳)、大還暦(120歳)。

第45問

問題 94～95ページ

セ	レ	ス	テ	イ	ー	ナ
イ	■	イ	オ	ツ	■	カ
ガ	リ	バ	ー	■	ガ	ザ
イ	■	ク	リ	ケ	ツ	ト
ハ	リ	■	ア	イ	サ	ツ
■	カ	ホ	■	ア	ン	ネ
カ	ー	ネ	マ	ン	■	コ

タテ 1：青海波　2：博士の異常な愛情　または私は如何にして心配するのを止めて水爆を愛するようになったか　3：テオーリア　4：いつ　5：中里恒子　8：月山富田城　10：慶安の触書　12：リカー　15：死馬の骨を買う　**ヨコ** 1：セレスティーナ　6：五百箇統、五百箇御統　7：ガリバー型寡占　8：ガザ　9：クリケット　11：針を蔵に積む　13：挨拶　14：嘉穂劇場　16：アンネの日記　17：ダニエル・カーネマン

第46問

問題 96～97ページ

エ	ン	ス	イ	キ	ン	カ
エ	■	テ	ビ	チ	■	リ
ジ	リ	ツ	■	ジ	ヤ	グ
ヤ	■	セ	ニ	ヨ	ー	ラ
ナ	ウ	ル	■	ウ	ル	フ
イ	マ	■	マ	テ	■	イ
カ	ー	ル	メ	ン	ガ	ー

タテ 1：ええじゃないか　2：ステッセル　3：いび(威部)　4：吉祥天　5：カリグラフィー　9：ヤール幅　12：ウマー　15：豆を植えて稗を得る　**ヨコ** 1：遠水近火　6：テビチ　7：而立　8：クラレット・ジャグ　10：セニョーラ　11：ナウル(共和国)　13：ヴァージニア・ウルフなんかこわくない　14：いまを生きる　15：マテガイ　16：カール(・)メンガー

第47問

問題 98～99ページ

ト	ミ	タ	ケ	イ	セ	ン
コ	ン	マ	■	ゴ	ウ	■
ク	ス	リ	ユ	■	タ	デ
■	ト	ロ	イ	カ	■	カ
ヒ	レ	■	マ	ル	ガ	メ
タ	ル	ム	ー	ド	■	ロ
キ	■	ク	ル	ア	ー	ン

タテ 1：坪井杜国　2：ミンストレル　3：タマリロ　4：囲碁　5：セウタ　9：ユイマール　11：デカメロン　13：カルドア　14：ヒタキ　17：椋鳩十　**ヨコ** 1：冨田渓仙　6：コンマ　7：号　8：薬湯　10：蓼食う虫も好き好き　12：トロイカ体制　14：ヒレ　15：丸亀(市)　16：タルムード　18：クルアーン

第48問

問題 100～101ページ

シ	ロ	イ	キ	ヨ	ウ	フ
ジ	ー	■	カ	ー	■	イ
ノ	ル	マ	ン	デ	イ	ー
ハ	ズ	■	シ	ル	ミ	ド
シ	■	シ	ヤ	■	ロ	バ
ガ	リ	ー	■	メ	ン	ツ
キ	ラ	レ	ヨ	サ	■	ク

タテ 1：榻の端書　2：ロールズ　3：人間機関車　4：ヨーデル　5：フィードバック　9：意味論　12：エゴン・シーレ　15：リラ　16：メサ　**ヨコ** 1：白い恐怖　6：g　7：エドワード・ハレット・カー　8：ノルマンディー　10：はず(筈)押し　11：シルミド(実尾島)　12：斜に構える　13：ロバ　14：ガリー　16：面子　17：切られ与三

第49問

問題 102～103ページ

モ	デ	イ	リ	ア	ー	ニ
ガ	リ	■	フ	イ	■	ジ
ミ	ダ	ス	■	ア	マ	ヨ
ガ	■	リ	ツ	コ	■	ウ
ワ	ク	ラ	■	ス	ミ	ジ
■	イ	ン	シ	■	チ	ヨ
ム	ナ	カ	タ	シ	コ	ウ

タテ 1：五月雨をあつめて早し最上川　2：ジャック・デリダ　3：リフ　4：アイアコス　5：二条城　9：スリランカ(民主社会主義共和国)　13：緋水鶏(ヒクイナ)　15：並木路子　17：出すことは舌を出すのも嫌い　**ヨコ** 1：モディリアーニ　6：ブトロス・ガリ　7：布衣の交わり　8：ミダス　10：雨夜の品定め　11：リツ子　12：和倉温泉　14：墨字　16：印紙法　18：千代に八千代に　19：棟方志功

第50問

問題 104～105ページ

ニ	オ	ウ	ミ	ヤ	■	シ
ホ	ゼ	ン	■	モ	コ	シ
ン	■	ガ	ト	リ	ン	グ
ア	バ	ロ	ン	■	ク	チ
ル	ー	■	ビ	オ	ラ	■
プ	ラ	ム	■	ト	ー	ル
ス	ト	リ	ン	ド	ベ	リ

タテ 1：日本アルプス　2：尾瀬　3：エマニュエル・ウンガロ　4：ヤモリ　5：獅子口　8：コンクラーベ　10：鳶に油揚げをさらわれる　12：バーラト　16：おとど　18：無理が通れば道理が引っ込む　20：瑠璃　**ヨコ** 1：匂宮　6：保全処分　7：裳階　9：ガトリング砲　11：アバロン　13：病は口より入り禍は口より出ず　14：ルー　15：ビオラ　17：プラム　19：トール　21：ストリンドベリ

第51問

問題 106〜107ページ

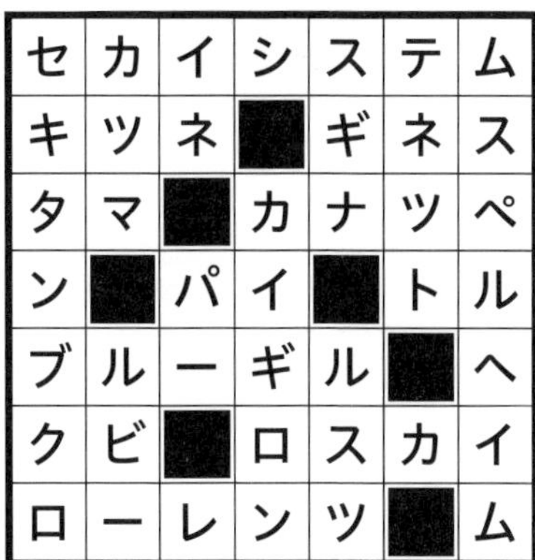

セ	カ	イ	シ	ス	テ	ム
キ	ツ	ネ	■	ギ	ネ	ス
タ	マ	■	カ	ナ	ツ	ペ
ン	■	パ	イ	■	ト	ル
ブ	ル	ー	ギ	ル	■	ヘ
ク	ビ	■	ロ	ス	カ	イ
ロ	ー	レ	ン	ツ	■	ム

タテ 1：石炭袋　2：羯磨　3：楠本イネ　4：スギナ　5：TENET　6：ムスペルヘイム　10：懐疑論　11：パー　14：ルビー　15：ルスツ(留寿都)　**ヨコ** 1：世界システム論　7：キツネ　8：ギネス・ブック　9：銀も金も玉も何せむにまされる宝子にしかめやも　10：カナッペ　11：Π、π　12：トル　13：ブルーギル　16：鬼の首を取ったよう　17：ロス海　18：ローレンツ曲線

第52問

問題 108〜109ページ

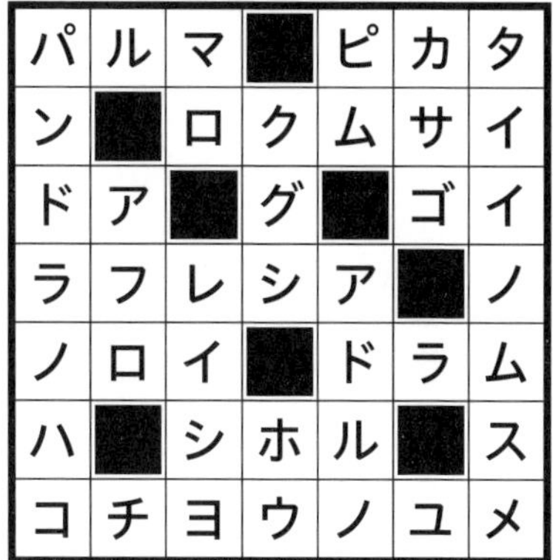

パ	ル	マ	■	ピ	カ	タ
ン	■	ロ	ク	ム	サ	イ
ド	ア	■	グ	■	ゴ	イ
ラ	フ	レ	シ	ア	■	ノ
ノ	ロ	イ	■	ド	ラ	ム
ハ	■	シ	ホ	ル	■	ス
コ	チ	ヨ	ウ	ノ	ユ	メ

タテ 1：パンドラの箱　2：クレマン・マロ　3：ジョン・ピム　4：笠碁　5：大尉の娘　7：久々子湖　9：アフロ・アジア語族　12：隷書　13：アドルノ　17：法　**ヨコ** 1：パルマ　3：ピカタ　6：六無斎　8：オープン・ドア　10：五位　11：ラフレシア　14：バンビーノの呪い、ヤギの呪い　15：ドラム　16：シホル　18：胡蝶の夢

歴代の国連事務総長および出身国

代行：ジェブ(イギリス)
初代：リー(ノルウェー)
2代：ハマーショルド(スウェーデン)
3代：タント(ビルマ連邦)
4代：ヴァルトハイム(オーストリア)
5代：デ・クエヤル(ペルー)
6代：ブトロス・ガリ(エジプト)
7代：アナン(ガーナ)
8代：潘基文(パン ギ ムン)(韓国)
9代：グテーレス(ポルトガル)

第53問

問題 110〜111ページ

シ	ユ	シ	■	ロ	コ	コ
ン	■	カ	フ	ウ	■	コ
コ	シ	ゴ	エ	ジ	ヨ	ウ
■	テ	■	ゴ	ン	タ	■
セ	ン	コ	■	ト	カ	チ
キ	ノ	ウ	ホ	ウ	■	メ
ト	ウ	ホ	ン	ミ	エ	イ

タテ 1：シンコ(新子)　2：シカゴ　3：老人と海　4：股肱の臣　6：フエゴ島　8：四天王　9：ヨタカ(夜鷹)　11：赤兎馬　12：黄埔軍官学校　14：知命　16：本調子　**ヨコ** 1：朱子学　3：ロココ　5：花風　7：腰越状　10：権太　11：千戸　13：十勝平野　15：帰納法　17：唐本御影

第54問

問題 112〜113ページ

オ	ウ	ト	■	ク	ニ	ク
オ	キ	ノ	ト	リ	シ	マ
ツ	■	モ	ニ	カ	■	ノ
カ	ケ	■	モ	ラ	エ	ス
ヒ	ト	キ	リ	■	セ	イ
サ	レ	■	ス	イ	ン	グ
オ	ー	エ	ン	ス	■	ン

タテ 1：大塚久雄　2：雨期　3：殿司　4：倶利伽羅峠の戦い　5：西側　6：熊野水軍　8：トニ(・)モリスン　11：ケトレー　13：エセン　18：椅子　**ヨコ** 1：嘔吐　4：苦肉　7：沖ノ鳥島　9：モニカ　10：掛け(売買)　12：モラエス　14：人斬り　15：セイの法則　16：サレ　17：スイング　19：ジェシー・オーエンス

第55問

問題 114〜115ページ

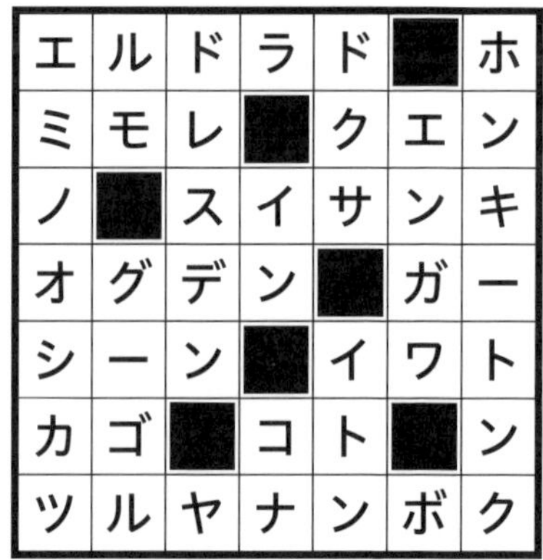

エ	ル	ド	ラ	ド	■	ホ
ミ	モ	レ	■	ク	エ	ン
ノ	■	ス	イ	サ	ン	キ
オ	グ	デ	ン	■	ガ	ー
シ	ー	ン	■	イ	ワ	ト
カ	ゴ	■	コ	ト	■	ン
ツ	ル	ヤ	ナ	ン	ボ	ク

タテ 1：恵美押勝　2：LUMO、ルモ　3：ドレスデン　4：ドクサ　5：ホンキー(・)トンク　8：えんがわ　10：印　12：グーゴル　15：猗頓　17：コナ　**ヨコ** 1：エル(・)ドラド　6：ミモレ(丈)　7：クエン酸　9：水酸基　11：オグデン　13：アリゲーター・ガー　14：シーン　15：岩戸景気　16：駕籠に乗る人担ぐ人そのまた草鞋を作る人　17：古都　18：鶴屋南北

コラムその⑪

丈の長さ別スカートの種類

- ミニスカート(ひざより上の短いスカート全般)
- ひざ丈(ひざが見えるか見えないくらい)
- ミディ丈(ひざ下が隠れるくらい)
- ミモレ丈(ふくらはぎのあたり)
- ロングスカート(足首上くらいの長めのスカート全般)
- マキシ丈(足首が隠れるくらいまで長いスカート)

第56問

問題 116〜117ページ

ア	オ	サ	■	ハ	カ	イ
プ	ラ	タ	イ	ア	イ	■
リ	ン	■	ツ	■	エ	バ
オ	ダ	ミ	キ	オ	■	ニ
リ	ガ	イ	■	イ	バ	ラ
■	ラ	デ	ツ	キ	ー	■
ハ	シ	ラ	■	リ	ッ	プ

タテ 1：ア(・)プリオリ　2：オランダガラシ　3：佐多稲子　4：みいちゃんはあちゃん　5：カイエ・デュ・シネマ　7：五木の子守歌　10：バニラ　12：三井寺　13：追い切り　16：バーツ　**ヨコ** 1：あおさ(アオサ)　4：破戒　6：プラタイアイ　8：アデノシン三リン酸　9：エバ・ブラウン　11：織田幹雄　14：理外の理　15：いばら(茨、荊)の冠　17：ラデツキー　18：柱　19：リップ・ヴァン・ウィンクル

第57問

問題 118～119ページ

シ	オ	ゴ	シ	ノ	マ	ツ
ネ	ン	■	ヤ	エ	■	チ
マ	ツ	イ	ス	マ	コ	■
ト	ウ	エ	イ	■	ウ	シ
グ	■	リ	■	ブ	エ	キ
ラ	イ	ネ	ケ	ギ	ツ	ネ
フ	ル	ク	サ	ス	■	ン

タテ 1：シネマトグラフ　2：音通　3：灑(洒)水　4：ノエマ　5：フツ人とツチ人　9：イェリネク　10：本阿弥光悦　13：式年遷宮　14：ブギス　16：イル・ハン国　17：坊主憎けりゃ袈裟まで憎い　**ヨコ** 1：汐越の松　6：念が晴れる　7：八重畳　8：松井須磨子　11：東映フライヤーズ　12：牛に引かれて善光寺参り　14：ぶえき　15：ライネケ狐　18：フルクサス

第58問

問題 120～121ページ

コ	イ	オ	シ	エ	ド	リ
ノ	■	オ	リ	イ	■	シ
エ	オ	ス	■	フ	カ	チ
フ	カ	ギ	ヤ	ク	■	ヨ
ミ	カ	サ	■	ジ	オ	ウ
マ	■	カ	ブ	■	ワ	セ
ロ	ー	エ	ン	グ	リ	ン

タテ 1：近衛文麿　2：大杉栄　3：酒買って尻切られる　4：叡福寺　5：李氏朝鮮　8：おかか　13：尾張名古屋は城で持つ　15：文は人なり　**ヨコ** 1：恋教え鳥　6：下り居の帝　7：エオス　9：不可知論　10：不可逆変化　11：三笠山　12：地黄　14：カブ(かぶ)　16：早稲(早生)　17：ローエングリン

第59問

問題 122～123ページ

サ	ツ	コ	■	イ	リ	コ
ヴ	■	テ	イ	ボ	ー	■
オ	デ	ツ	ト	■	フ	ア
ナ	ナ	■	ヘ	ン	デ	ル
ロ	リ	ア	ン	■	ゴ	ビ
ー	■	ン	■	オ	ウ	オ
ラ	ン	ド	ル	ト	■	ン

タテ 1：サヴォナローラ　2：虎徹　3：イボ(族)　4：リーフデ号　6：糸へん景気　8：デナリ　10：アルビオン　14：AND　16：音に聞く　**ヨコ** 1：サッコ・ヴァンゼッティ事件　3：いりこ　5：ジャック・ティボー　7：オデット　9：ファ　11：ナナ　12：ヘンデル　13：ロリアン　15：ゴビ砂漠　16：おうお(大魚)よし　17：ランドルト環

第60問

問題 124～125ページ

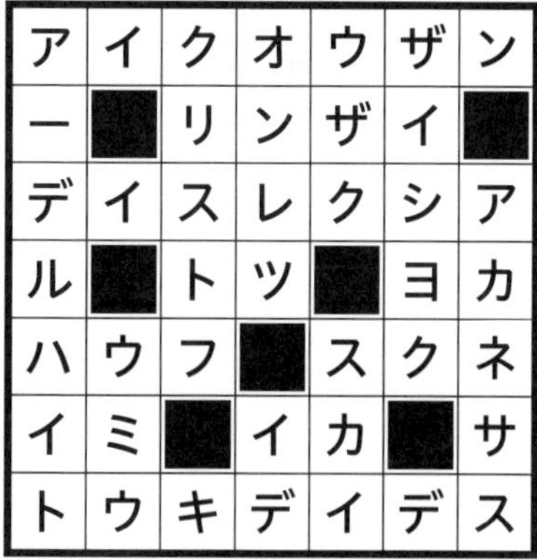

ア	イ	ク	オ	ウ	ザ	ン
ー	■	リ	ン	ザ	イ	■
デ	イ	ス	レ	ク	シ	ア
ル	■	ト	ツ	■	ヨ	カ
ハ	ウ	フ	■	ス	ク	ネ
イ	ミ	■	イ	カ	■	サ
ト	ウ	キ	デ	イ	デ	ス

タテ 1：アーデルハイト　2：ジャン・クリストフ　3：音列　4：う(鰻)ざく　5：在職老齢年金　8：あかね(茜)さす　12：海鵜　13：皇海山　15：井手　**ヨコ** 1：阿育王山　6：臨済宗　7：ディスレクシア　9：凸レンズ　10：予科　11：ハウフ　13：武内宿禰　14：忌み言葉　15：異化効果　16：トゥキディデス

問題と解答制作：キューパブリック
デザイン：出渕諭史(cycledesign)
イラスト：池田伸子(cycledesign)
編集協力：上村絵美
編　　集：小田切英史(主婦と生活社)

＊本書は、日本経済新聞[日曜版]NIKKEI The STYLEで連載中の「Challenge! CROSSWORD」の問題と解答を再編集して単行本化したものです。
問題と解答は原則として日本経済新聞に掲載時のもので、表記法など、時代の変化や学説などで異説がある場合もあります。

超難問クロスワード

制　作　キューパブリック
編集人　澤村尚生
発行人　倉次辰男
発行所　株式会社主婦と生活社
〒104-8357 東京都中央区京橋3-5-7
TEL 03-3563-5058(編集部)
TEL 03-3563-5121(販売部)
TEL 03-3563-5125(生産部)
https://www.shufu.co.jp
製版所　株式会社公栄社
印刷所　大日本印刷株式会社
製本所　株式会社若林製本工場

ISBN978-4-391-15948-6